KB076020

도시 여자의 단독주택 사는 법

꽃정원

https://brunch.co.kr/@shchoi8916

도심 속 단독주택을 직접 짓고, 그 집에 살게 된 지 2년이 되었습니다.

발 행 | 2024-02-14

저 자 | 꽃정원

펴낸이 | 한건희

펴낸곳 | 주식회사 부크크

출판사등록 | 2014.07.15(제2014-16호)

주 소 | 서울 금천구 가산디지털1로 119, A동 305호

전 화 | 1670 - 8316

이메일 | info@bookk.co.kr

ISBN | 979-11-410-7185-1

본 책은 브런치 POD 출판물입니다.

https://brunch.co.kr

www.bookk.co.kr

도시 여자의 단독주택 사는 법

사계절을 함께 하는 도심 속 단독주택에서 살아가기

꽃정원 지음

CONTENT

주택에서 살아볼까

들어가며

처음 막연한 주택 살이 시도는 남편의 거절로 무산됐다. 집안일도 많은데 집 밖의 일까지 어떻게 하면서 사냐는 것이다. 이 거절이 큰 싸움으로 번지지 않았던 연유는 나 또한 아이를 자유롭게 뛰게 하고 꽃 키우자고 백 가지 집 바깥일을 얻고 싶지는 않았기 때문이다. 그러다 혼자 사시는 시어머니가 갑자기 크게 아프시게 되어 퇴원하고 함께 살게 되었다. 어디서 살지를 생각하다가 주택에서 살자는 이야기가 나왔다. 게다가 퇴원 날짜가 그리 멀지 않은 시점이어서, 그 사이에 주택을 구하던가 짓던지 해야 하는 상황이 되었다. 우리의 주택 살이에는 이러한 현실적인 외력이 있었고, 아이를 키우기 좋을 것 같다는 생각과 식물을 원 없이 키워볼 수 있겠다는 내 안의 내력이 만나 주택 살이는 시작되었다.

처음에는 맞는 집을 찾아다니다가 가격과 구조가 맞는 집을 구하지 못해서 직접 집을 짓기로 했다. 이사를 가고 싶은 마을의 적당한 빈 땅을 찾아 계약을 했다. 주택에 대한 공부를 하며 대략적인 집의 모습을 설계했다. 건축사를 만나서 본격적인 설계를 완료하고, 공사가 시작되었다. 땅을 다지고 한층 한층 올려 가며 집의 외관이 완성되었다. 외장재와 내장재 공사를 마치고 본격적인 겨울이 되어 창호와 바닥, 전기, 인테리어 공사가 시작되었다. 그렇게 겨울이 가고 봄이 오자 집이 완성되었다. 공사가 잘 되었는지, 모든 방을 돌아다니며 확인하고, 미리 쓸고 닦아놓았다.

어머니 집과 우리 집을 모두 팔고, 짐을 정리했다. 새집에 가져갈 것만 챙기고, 새집에 필요한 새로운 가구들도 미리 만들어 놓았다. 그렇게 우리의 세간과 가구를 실은 트럭이 우리 집에 도착했다. 가구와 물건들을 오랜 시간 동안 머릿속에 미리 그려놓은 대로 놓기 시작했다. 상상만 했던 주택 살이가 현실이 되었다. 처음 연결된 가스, 물은 새로운 사용자 등록을 했고, 전기 사용 계약을 하고, 인터넷은 전신주 구조 때문에 통신사를 바꿔서 한참 기다렸다가 쓸 수 있었다. 한동안은 외부 현관 매트, 주방 유리 가림천처럼 아파트 살 때는 필요 없었던 소소한 물건들을 쇼핑백 가득 사 오는 게 일상이 되었다. 비용을 아낀다고 완성되지 않은 허허벌판의 마당도 완성해야 했고, 각종 잔디와 식물들을 심고, 우편함을 만들어서 설치하고, 계단에 여행 사진 액자를 설치하는 등 밤까지 일하고 정리해도 어수선한 시기가 있었다.

옆집의 이웃들에게 인사를 돌리고, 아이의 학교를 전학시키고, 나의 직장의 위치도 집 가까운 곳으로 옮겼다. 이제 아래층에는 어머니도 함께 살게 되었다. 집의 완성과 이사 날을 기다리는 길고 긴 시간 동안 매주 EBS <건축탐구 집>을 보고, 도서관에서 주택 건축 과정에 대한 책은 거의 다 읽었으며 인터넷에서 '전원주택 장단점'같은 글도 보이면 유심히 읽었다. 그렇게 이사와 함께 모든 것을 새롭게 다시 시작하는 기분이었다. 이제는 다른 사람이 아닌 나의 주택 살이가 시작되었다.

주택의 봄

주택의 봄은 설레임이다. 찬바람은 봄바람으로 바뀌었고, 마당에 나오면 봄향기를 맡을 수 있다. 오랜만에 둘러본 정원에는 추위를 이겨낸 식물이 여기저기 새순을 올리고 꽃망울이 터트려 기대감을 높혔다. 집집마다 노란 수선화와 오색의 튤립이 피어나며 봄의 시작을 알리고, 벚꽃이 흐드러지며 클라이막스를 장식했다.

새 학년을 시작하는 아이는 학교에 가고, 나는 화원에 가서 올해 키워 볼 식물을 사다 나른다. 남편은 겨우내 머물며 닳아진 집을 수리를 하고, 나는 마당에 나가 잡초를 덜 나게 할 수 없는지, 물 빠짐이 막힌 부분은 없는지 손을 본다. 텃밭에 남은 음식물을 묻고, 매일 달라지는 새싹을 키우느라 마당에서 많은 시간을 보낸다. 사람 소리를 듣고 고양이 한 마리가 다가와 곁을 지켜주면 그래도 일할 맛이 난다. 이렇게 모두 새로운 시작 앞에 섰다.

음식물 쓰레기가 없는 집에 산다

살림을 하다 보면 사람이 살면서 얼마나 많은 쓰레기를 만드는지 알게 되어 현타가 오는 순간이 온다. 과자 하나를 먹어도 비닐 쓰레기가 생기며, 마트에서 채소만 사와도 다듬는 것부터 음식물 쓰레기가 생긴다. 하물며 배달과 택배까지 많이 받는 요즘 시대에는 포장 쓰레기도 참 많다. 쓰레기를 분류하는 것도 가져다 버리는 것도 일이다. 아파트에 살 때는 아파트의 편리한 쓰레기 시스템을 이용하며 살았다. 음식물 쓰레기는 몽땅 모아서 음식물 쓰레기 통에 넣고, 재활용 쓰레기는 넣으라는 곳에 착착 넣으면 알아서 처리가 됐다. 그래서 처음 단독주택으로 이사를 갈 때는 이 쓰레기 처리를 앞으로 어떻게 해야 하나 많이 부담스러웠다.

1층 데크 한쪽에 마련한 우리집 분리수거장

이사를 오면서 미생물 분해형 음식물처리기를 구입했다. 서서히 단독주택의 쓰레기 시스템에 적응해 나갔다. 재활용 쓰레기는 아파트 살 때랑 비슷했다. 먼저 집 안에서 플라스틱, 캔, 종이, 비닐, 스티로폼으로 1차 분류를 한 뒤, 집 밖에 내놓으면 수거 차량이 와서 수거해 갔다. 수시로 수거를 해서 가는 아파트와는 달리 품목별로 수거 요일이 있어서 아무 때나 내놓으면 안 되고, 마당 한쪽에 꺼내놓고 모아뒀다가, 봉지가 다 차면 수거일 즈음해서 집 내놓으면 수거를 해갔다.

제일 혁신적인 변화는 음식물 쓰레기였다. 우리 집은 음식물 쓰레기를 냉동실에 얼려놨다가 통이 다 차면 비우고 통을 씻는다. 예전에는 거의 3일에 한 번씩은 얼려놓은 음식물 쓰레기 통을 비우러 어두운 밤에 엘리베이터를 탔던 것 같은데, 이사 오고 나서는 음식물 쓰레기 통 비워야 하는 주기가 이 주에 한 번 정도로 대폭 줄어들었다. 버리는 음식물 쓰레기는 등갈비 뼈나 다시팩 정도이고, 이것 빼고는 다 자가 처리가 가능하기 때문이다.

음식물 쓰레기가 나오면 미생물 분해형 음식물 처리기에 넣는다. 그 안에는 흙같이 생긴 미생물들이 음식물을 분해해 거름 형태로 만든다. 과일 껍질이나 먹다 남은 음식을 넣어주면 제일 깔끔하게 처리를 하고, 여타 음식물들도 사람이 소화할 수 있는 것들도 분해할 수 있다. 그래서 분해 가능한 것은 바로 처리기에 넣어주고 분해를 못

하는 것만 냉동실에다가 얼리는 식이다. 열심히 넣어주다 보면 음식물은 깨끗이 사라지고 분해된 거름이 점점 쌓이는데, 많이 쌓이면 퍼다가 텃밭 퇴비로 쓸 수 있다. 텃밭 위에 뿌려서 며칠 말린 후 삽으로 흙과 잘 섞어주면 끝이다.

먹깨비 파워

하지만 음식물 처리기에 넣지 못하는 음식물도 꽤 있다. 대표적으로 달걀 껍질, 커피 가루, 보리차 끓인 보리, 각종 씨앗이다. 수시로 나오는 데 처리기에 넣지 못한다. 이런 쓰레기들을 처음에는 냉동실에 얼려서 일반쓰레기에 넣었는데, 이제는 마당에다가 묻는다. 개수대 옆에 두부 포장 용기를 놓고, 처리기에 못 넣는 음식물 쓰레기를 모은다. 두부 통이 다 차면 들고 마당으로 나간다. 잘 안 자라는 홍가시나무 사이 사이에 묻거나 정원 제일 구석진 곳에다가 던져 놓는다. 그럼 부패가 되어서 가라 앉고 가라 앉다가 땅으로 흡수된다. 삽으로 잘 섞어주면 우리 땅을 기름지게 해주는 천연 비료가 된다. 가끔 참외 씨에서 새싹이 나서 덩굴이 생기거나, 비트에서 줄기가 나서 다시 크기도 했다. 계절을 잘 못 만났기에 지금 크기 시작해봤자 열매를 얻을 수 없으니 뽑아주어야 했지만 신기한 경험이 되기도 한다.

고구마랑 참외의 성장

음식물 쓰레기를 버리러 마당에 나가는 게 귀찮을 것 같지만 이상하게도 즐겁다. 가는 길에 엘리베이터 안에서 이웃들과 어색하게 숨 쉬며 있어야 하는 것도 아니고, 편안하게 몇 계단 내려가 마당에 나가 구덩이를 조금 파고 음식물을 넣고 다시 덮어주면, 식물에겐 보약 먹이고 고급 영양제 놔준 셈이니 뿌듯함과 기대감이 퍼지기 때문이다. 그것도 힘들면 안 보이는 곳에 던져서 나중을 기약하고, 가끔은 이제 초등학생인 아들에게 묻어 달라고 하면 제법 잘 묻는다.

우리 가족이 생활하고 먹으며 나오는 음식물 쓰레기는 비슷한데, 수거해가는 음식물 쓰레기양은 점점 줄어든다. 버리는 것은 거의 없고 다 소화가 가능하기에 본의 아니게 친환경 내츄럴 하우스가 된 기분이다. 특히 예전에는 음식을 해서 먹다가 양이 많아서 남길 때 죄책감이 컸는데, 이제는 음식물 처리기가 먹는다고 생각하니 그래도 마음이 편해진다. 나에게는 쓰레기이지만, 땅에게는 식량이고 영양이다. 결국에는 우리 땅이 먹어서 그 안에서 자라는 건강한 식물이 된다고 생각하면 충만한 기분이 든다. 땅과 인간이 부담없이 주고 받는 기분이다. 다시 아파트로 돌아가면 이걸 못 하니 정말 갑갑할 것 같다. 단독주택에 살아보니 나는 내어주고 땅은 받아서 키워주고 품어주는 기막힌 공생관계에 대한 감사함과 든든함이 생긴다.

특명! 식물을 늘려라

정원이 갖고 싶었다. 이사 오기 전에도 식물과 꽃에 관심이 많았던 나는 드디어 노지가 생겼으니 얼른 나만의 아름다운 정원을 완성하고 싶었다. 마을의 다른 집 정원을 둘러보며 마음에 드는 정원 베스트를 골라보았다. 어떤 식물이 있는지 어떻게 꾸며져 있는지 유심히 살펴봤다. 기본적으로 준공 승인을 받기 위해 마당 구획과 나무 몇 가지, 철쭉, 남천 같은 흔한 식물들은 심어져 있었지만, 크고 작은 아름다운 꽃들로 가득한 아늑한 비밀의 공간이자 내가 좋아하는 꽃들로 가득 채워진 정원에 대한 열망은 커져만 갔다. 그래서 열심히 정보를 찾고 식물을 사 모으기 시작했다.

길에서 만난 식물로 가득 찬 워너비 정원

본격적으로 식물에 탐닉하다 보니, 식물을 모으는 방법은 참 다양했다. 제일 쉽고 간편한 방법은 화원에가서 식물을 사 와서 바로 심는 것이다. 돈과 심는 수고만 하면 바로 내가 원하는 그림을 만들 수 있지만, 마당이라는 넓은 공간을 커버해야 하기에 개체수가 많이 필요해서, 하나 하나 사는 것은 현실적으로 불가능했다. 희귀하고 건강하고 큰 식물일수록 가격도 비싸다. 직접 키워서 하는 편이 저렴하겠다 싶어 다른 방법을 알아보았다.

두 번째 방법은 흙꽂이었다. 흙꽂이는 식물의 줄기 그대로 땅에 심어서 뿌리를 내리게 하는 것이다. 뿌리가 생겨나면 그 가지는 죽지 않고 또 하나의 식물로서 자라나기 시작한다. 예전에는 몰랐는데, 장마철에 수국 흙꽂이가 잘된다는 이야기를 통해서 알게 되었다. 이사 오고 처음으로 화원에서 사와서 심은 식물이 바로 이 수국이다. 수국을 늘려서 꽃 잔치를 하고픈 마음에 장마철을 기다렸다가 우리 집 수국 3종류의 가지를 마구 잘라서 흙에 꽂았다. 하라는 대로 했는데, 수국 줄기에서 뿌리는 나오지 않았다. 17개나 꽂아놓았는데, 뭐가 안 맞았는 지 모조리 썩었다. 의욕만 앞선 식물 바보는 애꿎은 수국만 민둥산으로 만들고 끝이 났다.

계속된 삽목 시도

마지막으로 제일 오래 걸리고 복잡한 것이 씨뿌리기였다. 파종으로 멋진 정원을 만드는 유튜버를 본 것이 화근이었다. 멋진 꽃 정원 영상을 보여주는 데 거의 다 자기가 파종한 것이라니 더 멋져 보였다. 나도 호기심 삼아 씨앗 판매 쇼핑몰을 들어가 보니 씨앗 가격이 매우 저렴했다. 꽃 모종은 한 포트에 최소 3000원, 구근은 한 개에 천 원은 하는데, 씨앗은 한 봉에 20개 이상 들어 있는데 3,000원이었다. 표지에 있는 예쁜 꽃 사진만 보고 행복 회로를 돌리며 마구 담고 주문하니 두툼한 씨앗을 받았다. 다 잘 자랄리는 없겠지만 그래도 땅 있으니 도전은 해보자 싶어 마구 담았다.

봄을 지나 가을인 9월까지도 아직은 날씨가 따뜻하여, 노지 직파로 막 뿌렸다. 타임, 딜, 오레가노, 세이지, 시금치는 하나도 싹이 안 나오고, 루꼴라, 공심채, 겨자, 상추, 당근만 드문드문 싹이 올라왔다. 꽃은 다 전멸하고 한련화만 힘차게 솟아났다. 한 달을 더 기다리니 미약한 펜스테몬 새싹이 2개 올라왔다. 무언가 불규칙적으로 올라오기도 하는데 잡초일거라는 자괴감도 들었다. 과연 파종은 시간도 오래 걸리고 신경 쓸 것도 참 많았다. 첫 파종이 망했지만, 이 계절이 아까워 한 번 더 도전해 보기로 하고 다시 씨앗을 주문했다.

시장에서 파는 투박한 씨앗들이 더 잘 자라는 것 같아서 종묘사를 이용했다. 이번에는 꽃의 아름다움보다는 "노지 월동" 4글자 붙은 꽃으로만 3종류(에린지움, 꽃범의꼬리, 원추리)를 담았다. 잡초를 이기고 땅을 덮어줄 무난한 지피식물 3종류(비비추, 스타키스, 옥잠화)도 넣고, 실내에서 키워볼 라넌큘러스도 골랐다. 식물마다 기본 특성은 지켜줘야 해서 이번에는 스프레드 시트에다가 식물 이름과 발아 온도, 발아 기간, 광발아 여부를 적어서 정리하고, 부자재인 화분, 포트 판도 넉넉히 구입했다. 바깥에 내놓아 직사광선의 강력한 햇볕을 주고 물은 화분 구멍을 통해 아래에서 스며드는 방식으로 줬다. 열흘이 지난 지금 7종 중에 2종만 우루루 싹이 텄다.

열정 넘치는 씨뿌리기

자라나는 새싹

여러 차례 파종과 실패의 사이클을 겪으며 답답한 마음이 들었다. 뿌리가 나고 새싹이 난다고 한들, 정원을 채우기에는 많이 미약하고, 공간은 여전히 휑하다. 1년 차 정원은 쉽지 않다. 최고의 정원을 빨리 갖고 싶어서 할 수 있는 선에서 최대한 달음박질해보려 했지만, 식물은 재촉할 수 있는 존재가 아닐뿐더러 세심하지 못한 관리에 식물은 죽음이나 무응답으로만 응답할 뿐이었다. 은퇴자도 아니고 일하며 사는 일상에 식물 키우는 일상이 스며드는 데는 아직 시간이 많이 걸릴 듯하다. 정원 1년 차는 터 잡는 시기이고, 아직은 겪어봐야 할 것이 많았다. 1년 차 정원 가꾸기는 식물에 대해 잘 모르니 가벼운 단계부터 시작해야 했다. 크기가 큰 식물을 사서 정원을 채우거나, 백일홍이나 봉선화같은 잘 크고 흔한 일년초 야생화 씨앗을 뿌리면 쉽게 성공했을 것이다.

쉽게 예쁜 꽃을 보여준 수선화

두 번이나 꽃을 핀 아이리스

가을이 되어서는 씨를 뿌리는 것을 그만두고, 무난하게 자랄 것 같은 구근인 수선화, 꽃무릇, 작약, 아이리스를 심었다. 해가 갈수록 커지고, 불어날 구근과 꽃을 기대하게 되었다. 땅만 생기면 다 될 줄 알았던 3월과 달리 소소함에 만족하는 지금의 모습은 많이 김이 빠졌다. 하지만 다른 정원 선배의 말에 따르면 완벽한 정원은 없다고 한다. 같은 식물들을 심어도 매년 기후도 다르고 잘 되는 식물도 다르다고 한다. 이 말에 위안을 얻어보며 창밖으로 아직 빈칸이 많은 정원을 내려다 보았다. 어차피 나의 정원이며 내 집의 일부이기 때문에 미완성의 정원 또한 사랑하리라.

주택의 봄맞이

꽃샘추위가 오겠지만 그래도 3월 중순의 날씨는 패딩을 벗게 했다. 날씨가 포근해진 기념으로 마당에 죽은 식물들을 끊어냈다. 식물이 일 년생인지 다년생인지 지식이 없어서 그간 일단 놔두었지만, 말라 버린 윗부분은 어차피 정리를 해주어야 할 것 같아 밑동만 남기고 다 끊어냈다. 푸른 향기로 나를 즐겁게 했던 페퍼민트는 마른 이파리에서도 향기로운 민트향이 올라왔다. 인공적인 향수를 안 좋아하는 나이지만 이런 자연의 향기는 언제든 좋다. 뿌리도 싱싱한 것이 올해도 작년에 자리 잡은 자리를 안 놓아줄 것 같아 밑동만 남기고 윗부분은 다 걷어냈다.

지난 겨울에 어느 정원 고수 유튜브를 보고 낙엽을 덮어서 식물들의 월동을 준비했다. 길에다 남겨놓은 낙엽 봉투를 지고 와서 수국 뿌리와 수선화 구근 등지에 덮어 놓았다. 냉해를 입은 식물은 없지만 결정적으로 낙엽이 잔디와 온 마당에 굴러다녀서 지저분해졌다. 앞으로는 낙엽 말고 다른 월동 방법을 찾아야겠다는 다짐을 하며 낙장불입이라지만 이리저리 흩어진 낙엽을 주워 나갔다. 키가 점점 커지며 노랑 얼굴을 터트릴 준비를 하는 수선화 구근 위 낙엽을 걷어보니 초록의 기운이 느껴진다. 지난해 뽑아도 뽑아도 새로 생겨나던 머위가 자기를 잊었냐며 다시 낙엽 아래서 열심히 올라오고 있었다. 환하게 열린 땅 위로 아마 잡초들도 올라오겠지만 일단을 낙엽을 모두 치우고 있다.

봄의 전령사 튤립과 수선화

음식물 쓰레기가 나뒹구는 황량하기 그지없는 빈 텃밭에 1년 농사 성공을 기원하며 거름을 뿌렸다. 평생 농사를 지으신 100살이 다 된 우리 할머니가 후한 인심으로 거름 두 포대나 주셨다. 차로 싣고 오는 내내 멈칫하게 되는 냄새에 망설여졌지만, 식물을 잘 자라게 해 준다면 괜찮다는 생각이 들었다. 마침 퇴근한 남편의 도움을 받아 손쉽게 텃밭에 섞었다. 돌도 골라 주는 데 할 때마다 항상 돌이 나오는 게 참 신기하다. 어설픈 도시 농부에게도 2년 차 수확의 기대감이 무럭무럭 자라고 있다. 올해는 텃밭에 뭘 사다가 심을지도 미리 다 생각해 두었다. 마음이 앞서서 '이제는 심어도 되겠지'하고 시장 모종집을 찾았는데, 내가 사는 지역은 5월 5일 어린이날 쯤에나 심어야 냉해가 없어서 아직은 모종이 없다는 말을 듣고 돌아오기도 했다. 텃밭 시무식은 좀 더 기다려야 하는 것이다.

텃밭에서 돌 골라내기

텃밭에 거름주고 섞기

날씨와 거름의 기운을 받아 기다렸던 일을 치렀다. 겨우내 만들어 왔던 모종을 심는 것이다. 지난 10월에 씨를 뿌려 살아남은 델피니움 2개와 램스이어 4포트 정도의 모종이 생겼다. 식물을 좋아하지만 세심한 배려가 부족한 탓에 다양한 식물들이 초록다리를 건너고 최후에 6 포트가 남았다. 포트에서 꺼내보니 역시 뿌리가 돌돌 감긴 게 실했다. 준 것이라고는 물밖에 없는데, 긴 겨울을 끼고 키운 시간의 힘인듯 하다. 텃밭에 섞고 남은 거름을 넉넉히 섞어주고 모종을 땅으로 옮겼다. 길었던 추운 겨울을 집 안에서 함께 한 생명들이라 마음이 남달랐다. 아직 추운 날씨에 걱정도 되지만 바람 맞으며 가로막히지 않은 땅에서 어떻게 뿌리를 뻗어 나가리라 믿었다.

실내 모종 방생

2월 말부터 씨를 종류 뿌렸다. 첫 해가 다품종 소량생산이었다면 올해는 소품종 다량 생산으로 가기로 했다. 벌레가 안 생기고, 손이 안 가며, 요긴하게 활용할 수 있는 식물만 키울 것이다. 냉동실에 보관중인 다양한 씨앗 중 꽃 인심이 후하다는 페튜니아, 버들 마편초를 골랐다. 버들마편초가 제일 먼저 새싹을 내밀었다. 바질은 작년에 워낙에 농사가 잘 되서 올해는 편하게 밖에서 파종을 했다. 작년에 직장에 버려진 바질 화분에서 채종한 싱싱한 씨앗을 물에 불려 개구리

알처럼 만든 다음 파종 트레이를 꺼내 양껏 심었다. 식물, 사람, 땅 사이에도 궁합에 있는지 잘 되는 것은 참 잘되고 안되는 것은 아무리 노력해도 잘 안된다. 그런 면에서 나랑 바질은 잘 맞는다. 아직 고요한 포트지만 올해 바질 밭을 만들 생각에 바라만 봐도 든든하다.

미뤄왔던 분갈이를 했다. 훈훈해진 날씨에 실내에 대피중인 블루 아이스를 밖에 내놓고, 다용도실에서 대기 중이던 칸나 구근도 화분에 심었다. 칸나구근은 얼마나 강력한지 물 한 방울 없는 다용도실에서도 줄기가 올라와서 덮어놓은 뚜껑을 열어버렸다. 실내에서 흰곰팡이가 생길 정도로 뿌리가 엉켜있던 몬스테라도 시원하게 뿌리를 풀어주면서 분갈이를 해줬다. 안에서 꽁꽁 숨어있던 식물들이 모두 기지개를 켜고 밖으로 나가니 나도 개운하고 식물들도 얼마나 좋을까.

식물을 돌보는 마당 일은 육체 노동이지만 나에게 묘한 위로를 준다. 땅이 있다는 것이 자연을 사랑하는 사람에게 얼마나 큰 귀한 사치이다. 나는 오늘도 이런 경험을 할 수 있는 주택에 살고 있음에 감사하고 봄이 옴에 또 감사했다. 일을 다 마치고 돌아보니 지난 주 꽃 눈을 달고 있던 매화에 꽃이 터져 나왔다. 어느새 2023년의 첫 꽃이 왔다. 겨울은 추웠지만 밖에서 안에서 감당할 수 있는 방법으로 견디면 또 다른 시작이 온다는 그런 간단한 진리를 정원은 온몸으로 보여주고 있다.

꽃눈과 첫 꽃

셀프 마당 비포 앤 애프터

어떤 마당을 원하는가? 우리는 집을 지으며, 지역은 건폐율 40%에 따라 나머지 60%에 해당하는 약 50평의 마당을 얻게 되었다. 설계 단계에 우리는 마당을 어떻게 하고 싶은지 이야기해 보았다. 어머니께서는 잔디정원을 원하셨고, 남편은 콘크리트로 덮고 싶다고 했고, 나는 중간 입장이었다. 우리는 은퇴하면서 주택 살이를 시작하시는 어머니의 기대에 따라서 잔디 마당으로 계획을 잡았다. 그리고 집이 지어지기 시작하자 마당을 아예 셀프로 꾸며보자는 의견이 나오고, 어떻게 상황이 급변하여, 집을 지을 때 마당에는 조경수 심는 것 말고는 아무것도 안 한 상태로 준공 승인을 받았다. 멋지게 지은 새집으로 두근거리는 이사를 마치고 어수선한 내부는 어느 정도 정리가 되어갔지만 휑한 흙밭인 마당은 이제부터 시작이었다.

셀프 마당을 위해 재료만 사고 나머지 작업은 다 직접 해야 했다. 요즘에 인터넷이 발달해서 재료도 구하고, 방법도 알려주고 셀프 마당하기 참 좋은 세상이다. 인건비도 절감하고 직접 만들어가는 재미를 즐기기 위해 셀프 마당을 하게 되었다. 새집에 집들이를 해서 친척들이 모였던 날, 어머니는 삼촌과 흰 종이 한 장을 펼쳐 놓으시고 멋들어지게 밑그림을 그리셨고, 거기에 필요한 재료를 사 모으기 시작하셨다. 퇴근하고 집에 가보면 익숙하지 않은 각종 자재가 대량으로 도착해 있었다. 먼저 징검다리 돌이 화물트럭에 실려 마당에 내려졌다. 전체 마당을 빙글빙글 돌 수 있는 위치에 맞게 남편이 돌을 하나하나 옮겨 위치를 잡았다. 돌의 모양과 크기가 조금씩 다르다 보니, 전체적으로 조화를 맞추기 위해 무거운 돌을 이리저리 옮겨가며 사람이 걸어 다닐 길을 만들었다. 그리고 마당 경계의 화단과 잔디 마당의 경계를 부분에 패랭이꽃을 심었다. 돋아 놓은 흙이 흘러

내리는 것을 막아주고 사시사철 꽃을 피워줄 것이다. 몇 백개의 포트에 담겨온 패랭이 꽃을 남편이 팔을 걷고 파고 넣고 파고 넣고 줄 맞춰 심어나갔다.

잔디 심고 징검다리 돌 놓기

패랭이 꽃 심기

그 다음은 잔디였다. 금요일에 퇴근하고 집에 와보니 카펫처럼 네모반듯하게 잘린 잔디 몇 더미가 차곡차곡 쌓여 있었다. 이 잔디를 그냥 땅 위에 올려놓으면 되면 잔디밭이 되는 것이 아니라 땅을 어느 정도 파주고 잔디판을 쏙 넣고 경계를 흙으로 고정시켜주어야 했다. 남편이 혼자 하는 데 너무 시간이 오래 걸릴 것 같았다. 해 지기 전까지 끝내 보자고 나도 합세하여 반대편 구석부터 땅을 파기 시작했다. 땅에 코를 박고 열심히 파고 넣고 덮고를 반복하다 보니, 말미에는 고관절이 저려오고 몸이 녹초가 되었다. 약 세 시간이 걸쳐 모든 작업이 완료되었다. 처음에는 잔디를 너무 조금 주문한 게 아닐까, 색이 누리끼리한 것이 과연 다시 살 수 있을까 싶었는데, 잔디의 생명력은 강력했다. 여름께에는 잔디가 위로 기세 좋게 자라 발목을 따갑게 할 정도로 자랐다. 여기저기서 잔디 꽃이 피고 잔디 씨가 떨어졌다. 옆집 이웃이 우리 잔디를 보고 잔디를 깎아줘야 옆으로 잘 퍼진다고 팁을 줘서 우리는 수동 잔디깎이를 주문했다. 남편이 한번 깎아 주자 정말 몰라보게 옆으로 잘 뻗어 나가서 초록빛 가득한 잔디 마당이 되었다. 하지만 남편은 일주일에 한 번씩 잔디를 깎아야 했다.

우량아 잔디

또 자잘한 마당 공간을 마련했다. 주차장을 만들고 남은 투수 블록으로 텃밭의 경계를 잡았다. 그리고 1층 데크 바로 앞에 흙도 털고 어머니가 걸어 다니실 조약돌 구역을 만들었다. 투수 블록을 비스듬히 꽂은 뒤 안을 마당 조약돌 200kg으로 채웠다. 마당 조약돌은 엄청 무겁지만, 인터넷으로 주문해서 저렴하고 또 옮기는 수고까지 덜 수 있었다. 하지만 지내다 보니 돌들이 사람 발에 눌려서 자꾸 땅으로 박히고, 돌 밑으로 잡초가 올라오고 지렁이들이 땅으로 파고 들어서 흙이 돌 위로 올라왔다. 우연히 다른 이웃의 마당 공사 현장을 보니 땅에 비닐이나 매트를 깐 다음 돌을 올리고 있었다. 우리는 그냥 맨땅에 돌을 올려서 이런 현상이 생겼다.

1년이 지난 올봄, 남편의 결단으로 돌을 다시 깔기로 했다. 처음부터 했으면 두 번 일 하지 않았을 텐데 지식이 부족한 셀프 마당이었다. 돌을 전부 다시 꺼내고 땅에 박힌 돌들도 파냈다. 맨땅에 비닐을 깔아 놓고, 돌에 묻은 흙을 물로 다 털고 깨끗하게 만들어서 다시 넣었다. 처음 이사 왔을 때 생각이 문득 떠오르는 작업이었다. 두 번 일했지만, 한결 관리하기 편해진 마당이 되었다고 생각하니 고생이 고생스럽지가 않았다. 돌이켜보니 마당 일에 전혀 지식이 없는 사람들이 멋모르고 벌인 일이지만, 우리 집에서 일어난 일들이기에 나름 즐거운 추억거리로 남았다.

두 번 일하는 즐거움

주택의 셀프 인테리어

예전에 살던 아파트의 강화마루는 유난히 약했다. 핸드폰만 떨어져도 모서리에 닿은 부분이 깊게 파이곤 했다. 무언가를 떨어뜨릴 때마다 바닥에 흔적이 남는 것이다. 신축 아파트라 깨끗한 바닥으로 출발했지만, 점점 크고 작게 패인 부분이 보기 흉해지기 시작해서 소위 '메꼬미'를 이용해 패인 부분을 채우기 시작했다. 이것이 소소한 집 보수의 첫 시작이었다. 보수의 경험은 해를 더하며 더 다양해졌다.

바닥의 홈과 보수 테이프

그다음은 배수구 뚫기였다. 어느 날 김치를 자르고 남은 김치 국물을 싱크대에 비웠더니 부엌 수채 구멍에 물이 빠지는 속도가 점점 느려지더니 기어이 막히고 말았다. 먼저 액체 형태의 배수관 클리너를 붓고, 다음으로는 가루 형태를 부어보아도 물이 전혀 내려가지 않았다. 이렇게 화학적인 방법이 실패하고, 물리적인 방법으로 해결을 시도했다. 인터넷으로 펜션 사장님들의 극찬 후기를 받은 고압 뚫음 기계를 사고 길게 들어가는 관통기를 샀다. 싱크대 밑 하부장을 열어 풀 수 있는 모든 연결부를 풀고, 바닥의 배관을 향해 펌프질을 시작했다. 7년 쓴 배수구에서는 관통기를 따라 검고 끈적이는 것들이 묻어 나왔고, 고압 뚫음 기계에서는 연기가 나며 막힌 곳이 펑 뚫리는 듯했다. 기쁜 마음으로 배관을 다시 연결하니 물이 잘 빠졌지만, 금방 어디선가 물이 새어 나와서 부엌 바닥이 전부 물바다가 되었다. 물에 젖은 가구와 바닥을 닦아내고, 다시 모든 과정을 반복해서 드디어 물이 시원하게 내려가는 소리를 들을 수 있었다. 씨름하는 남편 뒤에서 이쯤에서 배관 기사님에게 출장 요청 전화를 할까 말까 3일간 고민했는데, 남편의 끈질긴 시도로 결국 해결이 되었다. 그 후로 김치 국물은 절대로 싱크대 수채 구멍으로 버리지 않는다.

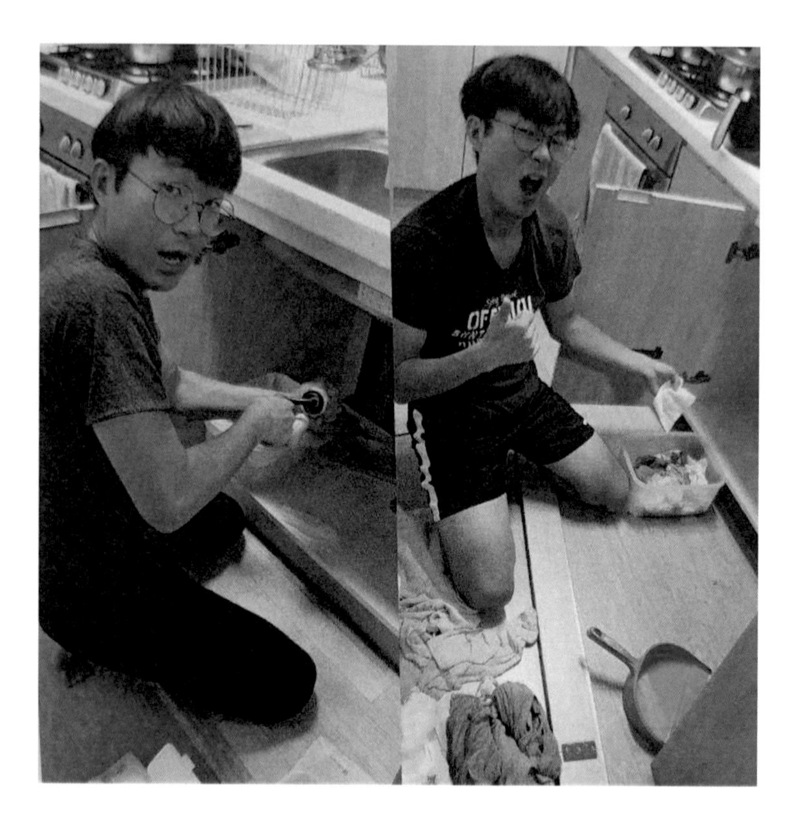

드디어 뚫었다

주택 보수의 최고봉은 셀프 페인팅이었다. 여느 아이 키우는 집처럼 우리 집 벽은 스티커와 정체 모를 낙서들로 가득했다. 아이가 유치원을 졸업하고 우리는 이제 깨끗한 집에서 살아야겠다는 희망을 품고, 지저분한 벽을 모두 페인트칠을 하기로 했다. 남편이 시킨 준비물들이 속속 택배로 도착했다. 페인트는 흰색으로 통일하고, 거실 벽한 면만 산토리니를 연상하는 하늘색으로 포인트를 줬다. 거실, 안방 두 군데를 칠하기로 하고 스위치와 콘센트에 묻지 않게 마스킹 테이프를 붙였다. 그리고 남편과 내가 하루 반나절을 꼬박 칠했다. 지저분한 낙서를 가릴 때는 신났지만, 손이 잘 닿지 않는 벽 맨 위까지 구석구석 균일하게 칠하는 것이 쉽지 않았다. 서로의 작업을 봐줘가며 결국 마무리 지었다. 페인트가 마르고 마스킹 테이프를 떼어내니 7년 된 아파트가 새집처럼 환했다.

페인트칠과 산토리니 벽

아름다운 우리의 집을 짓고, 꿈에 그리던 집으로 이사를 갔다. 집 안에서 하는 보수는 아파트나 주택이나 비슷하지만, 집이 커지고 바깥 공간이 추가되는 점이 다른 것 같다. 우리가 이사 가자 마자 했던 보수는 바닥이든 창틀이든 구멍이 보이면 다 막는 것이었다. 창문은 방충망 아래 손가락 한 마디 크기의 구멍이 있는데 벌레가 들어올 수 있어서 방충망 테이프를 찾아서 붙였다. 화장실에서 그리마가 몇 번 출몰한 이후로는 화장실 배수구에도 동그란 방충망 테이프를 사다가 붙였다. 다락방 창틀의 미세 틈도 클레이로 막았다. 2년 차 때는 아들의 손때가 탄 벽을 페인트로 부분적으로 칠했다.

페인트칠과 실리콘 작업

이사 오자마자 집 밖에서도 보수할 게 있었는데, 바로 주차장에 메지를 모래로 채우는 것이다. 우리 집 주차장은 투수 블록을 깔았다. 블록 블록과 틈새가 있는데, 그 사이가 벌어져 있으면 미관상 좋지 않고, 물건이 빠지거나 걸려서 넘어질 수도 있기 때문에 메꿔야 한다. 틈새가 넓지 않아 꽉 채우기가 쉽지 않았다. 남편이 이사 오는 날 집에 못 들어오고 홀로 발로 모래를 끌어서 사이사이를 메꾸는데 오후에 시작해서 해질 때까지 한나절이 꼬박 걸렸다. 왜 저렇게까지 해야 하나 이해가 가지 않았는데, 주택에서 해야 할 수많은 보수 중 하나였다.

EBS <건축탐구 집>에서 봤던 어느 한옥이 떠오른다. 집주인 아저씨는 일 년에 한 두 차례 지붕으로 올라가서 낙엽을 치운다고 했다. 지붕의 낙엽을 치우지 않으면 낙엽이 홈통을 막아서 집에 누수가 발생하기 때문이라고 한다. 솔직히 위험하고 너무 고된 일처럼 보였는데, 안 하면 누수라니 안 할 수도 없고 주택의 노동은 어디까지 인가 싶었다. 그래서 우리 집에도 홈통이 있는데 낙엽이 들어가면 큰일이겠다 싶어서 촘촘한 망 처리가 된 삽목 상자로 덮어놨다. 지붕 위로 올라가서 해야 할 일은 없어서 참 다행이다.

메지 완료된 주차장

집 보수라는 게 사람만 부르면 골치 아플 것 없이 다 해결할 수 있겠지만, 직접 고치고 손질하는 것도 나름의 재미가 있었다. 내가 사는 집이니 직접 고치고 손질하면 더 정이 가고, 더 마음에 드는 인테리어를 할 수 있었다. 거기다 인터넷에 셀프 인테리어에 대한 글과 영상이 넘쳐나고, 비용도 훨씬 저렴하다. 예를 들어 다이소에 가면 저렴한 보수 용품이 많은데, 정말 없는 것이 없다. 우리 집에서 야금야금 사 모은 보수 용품이 큰 바구니 2개를 다 채운다. 그리고 아파트 살던 시절부터 무한도전을 멈추지 않았던 남편 덕분인지 주택에 와서도 소소한 보수 정도는 스스로 하며 살아갈 것 같다. 이제는 남의 집이 되었지만, 예전에 살던 아파트를 떠올리면 청량한 산토리니 지붕을 연상시키던 포인트 벽이 제일 생각난다. 살면서 소모만 시키는 집, 팔아서 돈으로 바꾸는 집이 아니라 내가 살면서 가꿔주고 아껴주는 집이 진짜 내 집이 아닐까.

우리집 셀프 보수함

사람을 길들이는 주택의 고양이들

고양이가 대유행인 것 같다. 인터넷에는 '나만 없어 고양이'같은 글귀가 자주 보이고, 지인 중에는 고양이를 좋아하고 키우는 사람들이 많다. 나는 고양이에게 큰 관심이 없었는데 이사를 오고 난 후에는 관심을 가지지 않을 수가 없게 되었다. 시작은 어느 따뜻한 봄날이었다. 길고양이가 한 마리 나타났는데 곁에는 귀여운 아기 고양이 네다섯 마리가 천방지축 활개를 치고 있었다. 작고 귀여운 생명체들을 멀리서 흐뭇하게 바라보았다. 작은 아기 고양이들이 꼬물거리는 모습이 귀엽고 신기했다.

그 후 포슬한 모래로 덮혀진 뒷 화단에 동물 대변이 나타났다. CCTV를 돌려 확인해 보니 얼룩 고양이 한 마리가 유유히 걸어오더니 우리 집 뒷 화단에 볼일을 보고 유유히 사라지는 장면이 포착되었다. 화단이 고양이 화장실이 될까 우려되었던 우리는 고양이가 모래에 볼일 보는 것을 좋아한다는 것을 알게 되고, 자갈을 주워다가 모래 위를 싹 덮었다. 인터넷 검색을 해보니 주택에 고양이가 여러 가지 문제를 일으키는 것은 흔한 일이었다. 그래서 남편은 고양이 퇴치액을 사서 뿌렸다. 해롭거나 독한 성분은 아니고, 식초향과 찰흙 냄새가 나는 액체였다. 이 액을 뿌리면 한 시간 정도는 고양이가 얼씬도 하지 않았다. 하지만 그 후에는 다시 원래대로 돌아갔다. 동물 대변은 잔디 위, 텃밭, 돌 틈 등 여기저기 수시로 나타났다. 고양이 똥만 삽으로 퍼서 마당 한쪽에 버려야 했다.

우리 집 음식물 쓰레기를 담아서 내놓은 일반쓰레기봉투가 찢기기 시작했다. 마른 갈빗대와 고기 뼈다귀들이 튀어나오고, 버린 다시 육수 팩도 뜯긴 채 멸치만 사라져 있었다. 뼈와 마른 새우, 같이 튀어나온 셀 수 없는 보리알맹이들을 쓸어다 쓰레기봉투에 넣고 테이프로 붙여서 세워 놓았다. 몇 시간 뒤 밖으로 나가보니 쓰레기봉투가 다시 또 뜯겨 있었다. 다시 붙여 놓고 밤에 나가보니, 다시 또 뜯겨 있었다. 쓰레기봉투 여미기를 하루 세 번을 반복했던 기가 막히는 날도 있었다. 깊은 통 속에 숨겨놓아도 집요하게 찾아서 뜯어대는 통에 음식물 쓰레기를 꺼내 놓는 것 자체가 부담스러워지자 자충수로 마당 한편에 음식물 쓰레기를 넓게 펴서 놓기 시작했다. 고양이가 냄새를 맡고 와서 뼈다귀나 멸치 같은 것을 마음껏 골라 먹게 한 뒤, 더 이상 먹지 않으면 그때 싸서 버렸다. 나도 모르게 고양이에게 음식을 제공하는 입장이 된 것이다.

고양이는 수시로 우리 집에 나타났다. 사람이 없으면 햇볕 좋은 명당인 현무암 판석에 누워 쉬거나, 마당에 꺼내놓은 푹신한 암체어 위에 앉아서 털투성이로 만들어 놓기도 했다. 땅에 수선화 구근을 심어놨더니 다 파헤쳐 뒤집어 놓았다던지, 식물을 심으면 줄기를 한 번 먹어보기도 했다. 옆집과 우리 집 담장 사이에 고양이 구멍을 만들어 놓았다. 아기 고양이들이 커가면서 영역싸움을 벌이는지 고양이끼리 싸우는 소리가 시끄럽게 나기도 하고, 한밤의 추격전을 펼치기도 했다. 자기 집도 아닌데 자꾸 들락거리며 일을 만드는 고양이가 귀찮고 싫었다.

놀이터가 된 1층 데크

하지만 이제는 고양이의 방문에 익숙해졌다. 주변에 항상 있는 존재라고 여기고 있다. 가끔 고양이 먹으라고 소시지를 까놓기도 하고, 고양이 똥도 군말 없이 치운다. 고양이를 관찰하는 것도 은근히 재미있다. 고양이도 성격이 다양한지 항상 싸우는 고양이가 있고, 내가 밭일 하면 가까이 와서 볼 정도로 겁이 없는 고양이도 있다. 음식물 쓰레기도 뜯지만 스스로 사냥도 하는데, 어느 날 박각시를 잡아먹었다. 박각시란 멀리서 보면 꼭 물총새처럼 생겼는데 실제로는 나방인 곤충이다. 가을에 우리 집 마당에 자주 나타나서 열심히 패랭이꽃의 꿀을 빨았다. 고양이가 우리 마당으로 오더니 박각시 곁에 앉아 노려보다가 한 번에 확 잡아먹었다. 빠른 몸놀림이 마치 사자의 사냥을 보는 것 같았다. 고양이 입장에서 우리 집은 지나가다가 변을 보는 휴게소 같은 역할을 하는 곳인데, 잔디밭으로 걸어 다니면 발이 따가우니까 사람이 다니는 징검다리 돌길로만 다닌다. 그리고 고양이들은 더운 여름엔 그늘진 수국 밑에서 쉰다. 여우같이 주인 없이도 잘 사는 모습이 신기하다.

주택에 살다 보니 우리 집 마당은 고양이의 영역에 들어가게 되었고, 모든 것은 고양이의 마음이었다. 우리 앞집은 낮은 썬룸이 있는데, 고양이는 그 위를 올라가는 것을 좋아한다. 썬룸을 미끄럼틀처럼 오르내리며 천장 부분에 앉아 쉬기도 한다. 그 집 입장에서 보면 머리 위에 고양이가 떠있을 것이다. 이렇게 고양이는 어디 한 곳에 메이지 않고, 사람들이 철저히 나눠놓은 구역을 유유히 넘나들며 살아가는 참으로 자유로운 존재들이었다. 어찌 말 못 하는 동물을 미워할 수 있을까. 주택에 살다 보니 결국엔 반 집사 생활을 하게 되었다. 마을을 돌아다니다 보니 다른 집도 우리와 비슷한 처지인 것 같았다. 처음에는 음식 테러와 대변에 분노하다가 정이 들어서 거의 반 키우고 있는 집들이 많았다. 사료 사다 주고, 집 마련해 주고, 고양이 장난감을 사 와서 놀아주고, 고양이가 안 오면 언제 오나 기다린다고 한다. 주택의 고양이들에게 길들어진 것은 사람이었다.

주택의 여름

주택의 여름은 정열이다. 작열하는 태양에 태양광 발전기는 연일 최대 전기를 생산하고, 초록 식물들은 몰라보게 키가 컸다. 정원은 살아있는 꽃 바구니가 된다. 물도 주고, 약도 주고, 시든 꽃대도 잘라주며 손이 바쁘고, 한 봉지를 가득 채운 텃밭 상추, 방울토마토, 고추는 저녁상을 채운다. 방금 딴 텃밭 토마토가 근처 마트 것보다 훨씬 맛있다.

마당에 나가면 흐르는 땀, 모기의 공격, 끝없는 잡초와의 전쟁이지만 그늘에 앉아 오색의 꽃을 보면 행복하다. 비 온 뒤엔 숙제처럼 쓰러진 꽃과 식물을 세운다. 여름 밤엔 가벼운 차림으로 도심의 불빛 속을 걷다 차광막으로 덮힌 2층 데크에서 저녁을 해 먹고 쉬다가 풀벌레 소리 들으며 텐트 안에서 잠을 청한다.

내 집 앞 공짜마트

집을 지을 때 마당 한쪽에 텃밭을 잡아놨다. 같이 사는 시어머니나 나나 텃밭을 가꿔본 적은 없지만, 땅이 있으니 놀리지 말고 가볍게 채소나 키워서 먹자 하는 데 마음이 모였다. 주차장을 깔고 남은 투수 블럭으로 텃밭의 경계를 박고, 가운데 물이 빠져나올 도랑을 파니, 꽤 그럴듯한 텃밭의 모양새를 갖췄다. 어머니께서 농사짓는 친구에게서 듣고 거름을 미리 뿌려놓아야 한다고 하셔서, 거름 두 포대를 인터넷으로 주문해서 텃밭에 쏟고 삽으로 흙과 잘 섞어 놓았다. 그리고 따뜻한 5월이 되어 두근거리는 마음으로 시장을 찾았다.

북적거리는 손님들로 활기가 넘치는 5월의 모종 가게에 난생 처음 가게 되었다. 이름은 익숙하나 그 어린 모습은 처음 보는 여러 작물의 모종이 보였다. 호박도, 방울토마토도, 고추도 종류가 아주 많았다. 잘 자랄지는 모르지만 일단 호박, 애플수박, 방울토마토, 가지, 깻잎, 고추, 옥수수, 고수, 파프리카까지 키워보고 싶었던 모든 작물을 서너개씩 다 골랐다. 그렇게 모종은 주인장의 익숙한 솜씨로 박스에 차곡차곡 담겨 우리집 마당으로 왔다.

텃밭의 모습

구획을 나눠서 같은 작물끼리 심고 가끔씩 물을 주었다. 하루가 다르게 모종이 쑥쑥 자라는 것이 보였다. 토마토, 고추, 가지는 키가 커서 지지대를 세워주어야 했다. 지지대 끝에는 사고를 방지하기 위한 플라스틱 빈 병을 꽂아 놓아두고, 집에 있는 모든 빵 끈을 동원하여 줄기와 지지대를 묶었다. 그리고 알로 된 비료를 사다가 한 두 번 뿌려줬다. 아직 전문적 지식은 없는 터라 줄기를 잘라주는 순지르기나 잡초를 예방하는 바닥 멀칭도 하지 않았는데, 식물들은 쑥쑥 키가 컸다. 과연 햇볕과 대지의 힘을 받아 식물들은 탈 없이 꽃이 피고 열매를 맺었다. 정글같은 생김새를 하고 있지만 그 안에 쏙쏙 달릴 것은 달려 있었다.

첫 수확한 채소들

루꼴라, 상추, 아욱, 가지

열매가 열리기 시작하자 몇 달간 수시로 수확이 가능했다. 방울토마토는 여름부터는 매일 한 주먹씩 따서 간식으로 먹었고, 잎채소인 상추, 부추, 깻잎도 수시로 먹었다. 저녁을 차릴 때 반찬거리가 없으면 얼른 마당에 가서 상추, 깻잎, 부추를 따서 액젓, 고춧가루, 들기름을 무치면 맛있는 한국식 샐러드가 나왔다. 부담 없고 신선해서 대충 만들어도 맛있었다. 고추와 방울토마토도 매일 식탁 위에 올릴 수 있었다.

방금 딴 작물에는 신선한 맛이 있다. 나는 원래 가지를 안 좋아하는데, 방금 딴 가지는 부드러운 맛에 신기해서 먹게 되었다. 오이도 보통 껍질을 벗겨내고 먹는데, 방금 딴 오이는 껍질까지 먹어도 될 만큼 유난히 부드러웠다. 마치 항상 먹던 갈치지만, 제주도에서 먹을 때는 살이 부드럽고 녹아내렸던 제주도 갈치가 떠올랐다. 상추를 따면 하얀 즙이 새어 나오고, 호박을 따서 썰면 땀방울 같은 즙이 맺힌다. 애플 수박은 별로 달진 않았지만 제법 수박다운 모양새를 갖추며 커서 한 여름에 잘라 먹었고, 옥수수도 작았지만 몇 개 달려서 식구들과 신기해하며 먹었다. 이보다 더 싱싱할 수 없는 채소들을 먹으면 건강해지는 기분이 든다.

잎채소도 성장이 대단했다. 아파트 살 때 바질 씨앗을 뿌린 적이 있었다. 아무리 화분의 위치를 옮겨줘도 쑥쑥 크질 않아서 여리여리한 잎을 피자 만들 때 데코레이션으로 한번 뿌려 먹고 정리했다. 하지만 노지에서는 바질 잎이 크고 양도 많았다. 먹을 수 있는 양보다 더 많아서 부담스러울 정도였다. 그래서 바질 잎이 무성해지면 줄기째로 잘라내서 잎을 갈아서 바질페스토를 만들어 먹었다. 각종 채소들이 식탁 쌈 채소로 변하고, 비빔밥 재료가 되기도 했다. 한 포트 심었던 애플민트도 잎을 말려서 차로 마셨다. 마트에서는 이만큼에 얼만데 여기서는 공짜라는 생각에 돈 번 기분이 들면서 흐뭇했다.

푸짐한 쌈 채소

텃밭이 쉽기만 하고 성공하기만 한 건 아니었다. 첫 번째 실패한 작물은 파였다. 파 뿌리를 흙에 심으면 다시 파가 자라는 걸로 유명하다. 그래서 마당에 요리하다 나온 파 뿌리를 많이 꽂고, 쪽파 모종, 대파 모종도 사서 야심차게 파밭을 만들었다. 올해 파는 안 사먹어도 되겠다 싶었다. 하지만 파 하나에서 알이 나오더니 알에서 진딧물이 생기기 시작했고, 순식간에 모든 파를 다 점령하고, 부추에까지 옮겨 갔다. 환공포증을 유발하는 생김새도 그렇고, 순식간에 퍼지는 것이 더 스트레스를 유발했다. 식용 텃밭이라 농약은 치지 못하고 인터넷에서 검색하여 찾아낸 마요네즈에 물을 섞은 난황유를 뿌렸다. 스프레이를 누르느라 손가락이 얼얼하게 뿌려놔도 진딧물과 알은 건재했고, 결국 파와 부추를 모두 뽑아냈다.

바질 페스토 파스타

또 다른 복병은 애벌레였다. 농약을 안하는 밭이라는 것이 소문이 났는지, 나비가 하나 둘 날아오더니, 곧 이어 애벌레가 나타나기 시작했다. 겨자, 상추 사이사이에 숨어서 잎을 갉아먹기 시작했다. 잎을 따러 밭에 가보면 구멍이 숭숭 뚫려있고, 뼈다귀 처럼 잎맥만 남겨 두기도 했다. 퍼져나가는 것도 순식간이라 언제부턴가 벌레들이 먹고 남긴 것을 인간이 먹는 듯했다. 땅과 가까운 잎채소가 특히 심했다. 그 외에도 땅을 뒤집으면 온갖 벌레들이 튀어나오기도 하고, 밖으로 오픈된 밭에는 이름 모를 여러 적이 있었다.

이사 온 첫 해 농사라 아무런 지식도 없이 시작했지만 돌아보니 많은 추억이 남았다. 마을을 돌아다니며 보면 여타 단점들 때문인지 텃밭을 아예 안하는 집도 보인다. 하지만 마트나 식당에서 만나는 잘생기고 큰 채소보다 우리 집 텃밭의 작고 못생긴 채소에게 더 정이가고 남길 수가 없다. 점점 예측할 수 없는 기후 덕에 텃밭도 점점 더 빈약해지지만, 나는 그래도 이런 추억과 맛있는 기억들 때문에 내년에도 텃밭을 가꿀 생각이다. 이 땅에서 살며, 이 땅에서 난 식물들을 먹고 살았으니, 죽어서도 이 땅에 묻히는 건 아닐까 하는 감상적인 생각에 젖으며 우리 집 공짜 마트는 내년에도 열린다.

다양한 텃밭 채소로 한 요리

잡초와의 전쟁

한 달 만에 잡초들이 우수수 자라났다. 잎이 크고 꽃도 피는 걸 보니, 금방 씨를 퍼트릴 것 같아 더 이상 미룰 수가 없었다. 휴일 하루를 잡초 뽑기의 날로 잡았다. 잡초를 뽑는 한 가지 팁은 땅이 젖어 있어야 뽑기가 훨씬 수월하다는 것이다. 땅이 말라 있으면 땅속으로 깊게 내린 뿌리까지 제거하지 못하고 줄기만 툭 하고 끊기기 십상이다. 기껏 뽑았는데 뿌리가 살아서 다시 자라난다면 정말 끔찍할 것이다. 몇 주간 날씨가 가물어서 따로 물을 뿌리고 작업하려고 했는데, 간밤에 비가 내려 정원의 온 땅이 촉촉히 젖어 있었다.

정원 일의 최대 적은 자외선과 모기이다. 그래서 농부들은 해 없는 시간을 노리느라 자연스럽게 새벽형 인간이 되나 보다. 하지만 주말 늦잠에 아침 시간을 놓치고 오후 1시부터 일을 하게 되었다. 여름이 끝나가고 있어서 한여름보다는 선선했지만, 한낮의 더운 시간이라 선크림을 최대한 바르고, 긴 바지에 쿨토시, 목 토시와 챙 넓은 모자까지 썼다. 거기에 장화를 신으면 완성이다. 이사를 하고 시장에서 장화를 살 때 만해도 종류가 호피 무늬뿐이라 무늬가 너무 촌스럽지 않나 생각했는데 역시나 무늬는 전혀 중요하지 않았다. 발로 흙을 밟아도 지장이 없고, 물을 뿌려도 젖지 않아 발에 무한 자유를 준 것으로 충분히 그 역할을 다 했다. 장화 안에 땀이 조금 차고 오래 쪼그리고 있으면 어지러운 것은 작은 의자에 앉는 걸로 틈틈이 해결할 수 있었다.

하지만 모기의 역습은 무시무시했다. 날이 추워지면서 모기가 줄어들긴 했지만, 여전히 모기들은 습하고 어두운 곳에서 사람이 오기만을 기다리고 있었다. 긴 팔과 긴 바지로 가려지지 않은 기가 막힌 틈새를 파고들어 공격해 대는 통에 볼과 겨드랑이를 물렸다. 가려워도 흙 묻은 손으로 긁을 수도 없고, 귀에 대고 울리는 앵앵대는 그 불쾌한 ASMR은 덤이다. 어차피 모기가 죽어야 끝나는 싸움이라 모기 죽이려고 내 몸을 때려봤자 모기는 도망가고 내 몸에 흙자국만 남길 뿐이었다. 일 끝내고 집으로 들어갈 때 열린 현관문으로 한 마리씩 따라 들어와 가족들을 공격하기도 하니 끝까지 경계해야 할 강적이었다.

삽질에 힘을 더해줄 작업복

본격적으로 잡초를 뽑기 시작했다. 먼저 괭이밥을 집중 공략했다. 씨를 튀겨서 퍼트린다는 사실이 충분히 위협적이었다. 하나라도 남으면 다 초토화 된다는 생각에 작은 괭이밥도 모두 호미를 꽂아서 파냈다. 뿌리에 묻은 흙 털다가 씨앗 하나라도 떨어질라 묻은 흙까지 과감히 버렸다. 잡초 뽑기의 악몽은 뿌리가 제거되지 않아 다시 자라자는 것, 뽑았는데 씨앗이 떨어져 다시 자라나는 것이다. 우리 집으로 날아 올까봐 우리 집 양쪽 이웃과의 경계선에 있는 잡초들도 친절히 다 뽑게 된다. 그 외의 잡초들은 민들레 류의 잡초, 길쭉한 피, 쇠비름, 방동사니이다. 머위 밭을 한번 다 정리했는데, 아무일도 없었다는 듯 다시 스멀스멀 올라오는 머위 또한 우리 집에서는 잡초에 분류되었다.

뽑다 보니 잡초는 다양한 곳에 포진해 있었다. 일단 땅인데 아무 식물도 없고 흙만 드러나 있으면 제일 편안하게 자라났다. 다음으로는 기존의 식물들 가까이에 생기는데, 수북한 애플민트 밭도 걷어보니 밑으로 자라고 있었다. 철쭉의 뿌리 부분에 교묘히 붙어서 자라는 것도 있었고, 내놓은 화분 위 흙에서도 자라고, 보도 블럭 사이 틈에도 자라고, 기존에 심어놓은 식물이 말라 죽어가는 땅에도 여지 없이 뿌리 내리고 있었다. 일부는 잔디 밭에도 있었는데, 워낙 잔디가 강력하고 빽빽해서인지 여기서는 크기도 작고 상태도 안 좋아보였다. 오래 살아남기 위해 최악의 한수로 연막작전을 쓴 모양인데, 이런 잡초도 미안하지만 뽑았다. 애지중지 일부로 데려와 키우는 식물들은 여차하면 싹도 안 트고 죽는데, 잡초들은 전혀 생각도 안 하고 아무것도 안 해주는데도 왜 이리 여기저기 알아서 생기고, 쑥쑥 크는지 허망할 노릇이었다.

스트레스를 유발하는 잡초이다 보니, 파종할 때는 부드러운 노래를 들으며 일했는데, 잡초 뽑기는 무조건 힘나는 노래, 트렌디한 노래로 좋은 기분을 주입하면서 할 수밖에 없었다. 소위 말하는 노동요 타임이었다. 한 시간짜리 플레이리스트가 두 번이나 끝났는데도 손 못 댄 구역이 보였다. 끝없이 보이는 잡초들 때문에 점점 분노의 호미질로 변해 공벌레와 벌레들을 죽이고, 너무 작은 잡초들은 그냥 땅을 갈아엎었다.

깔끔해진 마당

역시 이 작업에도 완벽은 없었다. 일단 눈앞에 보이는 모든 크고 작은 괭이밥을 제거했다는 사실에 만족하기로 하고 꽉 채운 잡초 한 포대를 남편에게 버려달라고 했다. 더 이상의 작업은 무리였고, 호미를 쥔 손가락 끝마디가 굳은살이 박히려는지 얼얼하게 아팠다. 땀에 젖은 몸을 씻으려고 욕실에 들어갔는데, 그냥 욕조에 쓰러져서 누워 있었다. 전신권태가 무슨 의미인지 잘 알 것 같았다. 한 달에 한 번만 하려는데, 지금으로부터 한 달 뒤에는 어떤 상태일지 눈에 훤히 그려져서 마음 같아선 검정 비닐로 전부 덮어버리고 싶은 심정이었다. 잡초와 싸우면 사람이 진다더니 과연 그러한 하루였다. 나의 고민은 이제 헐벗은 정원의 땅들을 어떻게 덮어 놓을지로 옮겨 갔다.

주택과 벌레

단독 주택하면 제일 먼저 떠오르는 현실적인 장벽은 벌레, 각종 곤충들일 것이다. 나는 시골에서 자라 곤충이나 벌레들에 익숙한 편이라 여기에 대해서는 큰 부담이 없었다. 초등학생 아들 말로는 이 지구상에서 곤충, 동물, 식물 중 가장 수가 많은 게 곤충이라고 한다. 동물은 그렇다 쳐도 식물까지도 개체수로 제쳐버리는 그들이 바로 곤충이다. 인간에 비하면 작지만 종류도 많고, 날아다니거나 기어 다니고, 무엇보다 징그러운 생김새와 각종 질병을 유발하는 점이 내 집에서 만나고 싶지 않은 제일 큰 이유일 것 같다. 우리 집은 도심 주택이라 주변에 산은 없고 집이랑 도로뿐이지만, 집 앞 마당에 잔디, 텃밭, 화단이 있기에 벌레가 아예 없을 순 없었다. 예전에 아파트 13층에 살 때에 비하면 확실히 곤충과의 조우가 잦아졌고, 이런 저런 에피소드를 남겼다.

우리 집은 1, 2층 그리고 다락으로 이루어진 단독 주택이다. 우리는 주로 2층에서 생활한다. 흔하게 보게 되는 벌레는 작은 거미이다. 예전 아파트 13층에 살 때도 거미는 종종 보았다. 하지만 아파트 13층 거미는 다리가 되게 가늘고 희미했다. 징그러움보다는 이 높이까지 어떻게 오게 되었을까 신기함을 더 크게 느꼈다. 주택의 거미는 주로 화장실에서 자주 보였고, 새끼 거미인지 크기는 더 작고 더 굵은 몸통과 다리를 가지고 있고 움직이는 속도가 빨랐다. 아마도 근처에서 거미가 알을 까지 않았나 싶다. 미안하지만 집으로 들어온 거미는 밖으로 튕기면 다시 들어 올까봐 안에서 처리하는 편이다. 집 밖에도 거미가 있는데, 2층 처마 밑 데크 아래에 빗줄기로부터 안전한 구석에 자주 거미줄을 친다. 외관상 좋지 않기에 눈썰미 좋은 남편은 생길 때마다 정리를 한다. 하지만 거미 또한 끈질기게 집을 만든다. 그리고 저 높이 지붕 바로 아래 쳐있는 거미줄은 닿지 않아 없애지도 못했다. 그 외에 그리마도 가끔 마주친다. 그리마는 대체로 크고 다리가 많아서 징그럽다. 예전에 1층 사무실을 썼을 때 한 달에 한 번씩 그리마가 꼭 나타나서 잡아야 했던 기억이 있다. 그리마는 저층 세대의 어쩔 수 없는 숙명인 것 같다.

그 외로는 밖에서 사람이랑 같이 들어오는 경우도 있다. 가령 텃밭 수확물에 벌레가 따라올 때가 있었다. 바질이나 깻잎 같은 잎채소는 하나하나 따기가 번거로워서 줄기 채로 끊어오기도 하는 데, 무성한 잎 사이에 숨어있던 개미, 무당벌레, 한 번은 사마귀도 나왔다. 손톱만한 새끼 사마귀가 비닐봉지 속 깻잎 더미에서 툭 튀어나와 주방 수도꼭지 위로 휙 올라섰을 때 얼마나 놀랐는지 모른다. 빈 통 속으로 유인해서 2층 데크를 통해 밖으로 돌려보냈다. 그 후로는 벌레들에게도 알아서 도망갈 기회를 주기 위해 채소를 따면 비닐을 연 채로 잠깐 밖에 놔두었다가 가지고 들어온다.

날아다니는 벌레도 있다. 여름이 되어 만물이 소생하는 것은 좋은데, 각종 벌레까지 소생해 버리는 것은 정말 안타까운 일이다. 대표적으로 모기는 여름부터 나타나기 시작해서 가을에 추워질 때까지 활동을 한다. 예전 아파트 생활할 때는 1년에 한두 번 모기에 물렸었다. 하지만 주택에 이사 오고 나서는 마당 일을 하고 나면 하루에 기본 10방이 물린다. 모기퇴치제를 뿌리고, 토시, 모자, 장화로 무장을 해도 하루에 10방은 기본이다. 볼, 귀, 옆구리 등 별 기상천외한 곳을 물려보았다. 집 안까지 따라 들어오면 걷잡을 수 없는 피해를 유발하기 때문에 밖에서 안으로 들어올 때 신경 써서 사람만 들어와야 한다. 실내에 화분을 잘못 관리하면 뿌리 파리가 생기기도 한다. 날파리 같이 생겨서 크기가 작다. 이들은 얼마 살지 못하고 화분 근처에서 잘 죽는 것 같다.

해충 피해를 입은 식물들

식물에게도 해충 피해가 있는데, 특히 나무에 해충 피해가 많았다. 첫해에는 단풍나무에 쐐기 같은 털이 기다란 검은 애벌레가 나타났다. 쏘일까봐 벌레가 있는 가지를 잘라냈는데, 얼마나 많은지 잘라내는 것으로는 감당이 되지 않았다. 벌레들은 교묘하게 잘 보이지 않는 잎의 뒷부분, 그리고 방금 난 부드러운 연두색의 새잎에 집중적으로 분포했다. 두 번째 해에는 매실나무가 당첨이 되었다. 가지마다 곤충알같이 생긴 것이 거미줄 같은 실로 마구 감겨있었다. 텃밭 작물에 생긴 해충은 관리하다가 실패하면 뽑아내기라도 하면 되는데, 나무는 뽑아낼 수도 없어서 결국에는 난생 처음 농약사를 찾게 되었다. 전통 시장에 농약사를 찾아가서 사진을 보여드리니 몇 가지 약을 주시며 섞어서 쓰라고 알려 주셨다. 집에 노인과 어린이가 있어서 약은 안 쓰고 싶었지만, 벌레들이 다른 식물에게 퍼져나가는 것을 막기 위해 어쩔 수 없이 뿌려줬다. 농약을 뿌릴 때는 우비를 입고 마스크도 쓰는 데도 왠지 모르게 눈도 간지럽고 찜찜함이 남는다.

우리 집은 벌레가 별로 없는 편이라고 쓰려고 했는데 쓰고 나니 벌레가 참 종류별로 있었던 것 같다. 그나마 도심지라서 이 정도로 정리가 되는 것 같은데, 깊은 시골의 주택은 사람보다 벌레 때문에 더 문제가 많다고 한다. 벌레퇴치 전문가의 말로는 벌레와 인간이 서로의 영역을 정해놓고 지키는 식으로 문제를 해결해 나간다고 한다. 아름다운 주택으로 이사를 와서 자연과 호흡하는 것은 좋은데, 고양이도 그렇고 벌레들과도 공존을 고민해야 하는 게 슬기로운 주택 생활의 과제인 것 같다.

여름 정원을 향한 벌크업

동네에 오색의 장미가 터져 나오는 5월이 되었다. 가끔 집에 가는 빠른 길 대신 장미가 많은 길로 빙 돌아서 장미를 감상하며 간다. 아름다운 장미의 자태에 근심 걱정이 절로 치료되곤 한다. 이사오기 전에 즐겨봤던 정원 유튜브는 항상 부드러운 음악 소리가 흐르고 아름답고 풍성한 꽃들이 비친 뒤 알프스 소녀 같은 앞치마를 두르고 정원 일을 하는 그녀들의 모습이 나온다. 영상을 보며 나도 땅만 있으면, 열심히 식물을 구해서 심기만 하면 쉽게 따라할 수 있을 거라고 생각했다. 그래서 사랑스러운 나의 정원 땅에 여러 가지 식물을 심어 봤지만 나의 정원의 식물들은 어째 키가 크지도 풍성하지도 않았고, 정원이라기 보다는 그냥 잡초 품은 벌거벗은 땅 같기도 했다. 정원은 공짜가 아니었다.

아름다운 정원에는 끊임없는 관리와 노동이 숨어있었다. 농작물은 농부의 발자국으로 성장한다는데, 정원도 마찬가지 같았다. 마을 산책을 하다 보면 이제 주인이 정원에 얼마나 신경을 쓰고 있는지 눈에 보인다. 식물들이 단정하고 잡초가 없이 깔끔하면 관리가 잘 되는구나, 식물들이 중구난방으로 자라나고 잡초가 더 크게 자라 있으면 주인이 신경을 안 쓰는 티가 났다. 녹음이 지고 만물이 소생하는 여름에는 며칠 안 봐주면 티 날 정도로 특히 더 바쁜 것 같다. 다가오는 올해의 여름 정원을 이루기 위해 몇 가지 정원 습관을 시작해 보기로 했다.

먼저 매일 물을 줬다. 날이 더워지고 식물들이 물 부족에 허덕이고 있었다. 내가 목 마르면 물을 마시지만, 식물 목마른 것은 비 오니까 괜찮다고 모른척하고 물은 가끔 생각날 때만 줬고, 물주는 시스템도 많이 허술했다. 정원 첫해인 작년에는 호스가 1m도 안되어서 정원의 구석 구석 물을 뿌릴 수가 없었다. 집 건물 뒷 화단은 극도의 물도 없고 모래 흙의 건조한 환경에 준공 때 심어놓은 회양목이 반 정도 죽었다. 물 주기는 몸이 힘들진 않지만, 시간과 비례한 작업이다. 우리 집 정원은 30평 정도인데, 간단하게 뿌려도 최소 20분이고 충분히 하나하나 적시려면 1시간 동안 호스를 들고 서 있어야 할 수도 있다. 게다가 화분과 달리 노지는 땅이 평평해서 세게 쏘면 물이 그냥 낮은 곳으로 흘러 내려가 버렸다.

그런데 어느 폭우가 이어지던 날, 나는 그 끝없는 비를 맞으며 정원의 식물들이 생명력을 더해가고 텃밭 식물들의 사이즈가 두 배로 뻥튀기되는 모습을 보았다. 과연 식물들이 충분한 물은 생명이자 기쁨이었다. 날이 무더운 요즘은 얼마만큼의 물이 충분한 물인지 체감한 나는 물 주기 시간을 대폭 늘려주기로 마음먹었다. 그리고 올해는 20m 호스릴을 마련했다. 긴 호스와 다양한 물 쏘는 방식으로 1년 동안 물을 따로 주지 않아 회양목도 죽어 나갔던 뒷 화단까지도 물을 줄 수 있게 됐다. 바쁘고 피곤한 날에는 물을 좋아하는 오이만이라도, 물을 좋아하는 꽃 수국만이라도 물을 주면서 의리를 지켰다.

낮에는 출근을 해야 하고, 또 해가 있을 때라 잎이 타버리므로 아침 일찍 또는 퇴근 후 물을 준다. 나는 저혈압이라 아침이 힘든 사람인데 자연의 기운을 빌어 며칠간 아침을 열었다. 식물에 물을 주며, 물을 조용히 받아마시는 식물에게 오늘 하루 열심히 자라라며 긍정적인 마음의 말을 나눌 수 있고, 또 퇴근 후 물을 주며 하루의 구질함을 씻어내고 식물의 변화를 보는 기쁨이 있었다. 항상 그곳에서 말없이 아름다운 그들이 뿜는 초록의 에너지가 나를 위로하는 듯하다. 매일 찾아가서 들여다보면 잡초도 한 번씩 뽑게 되고, 작은 변화도 알게 된다. 물 주는 것은 결국 관심이었다.

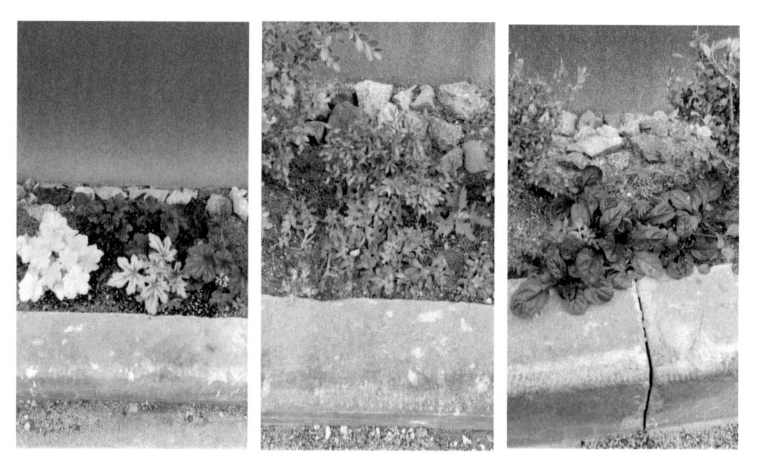

뒷 화단의 지피식물 3총사

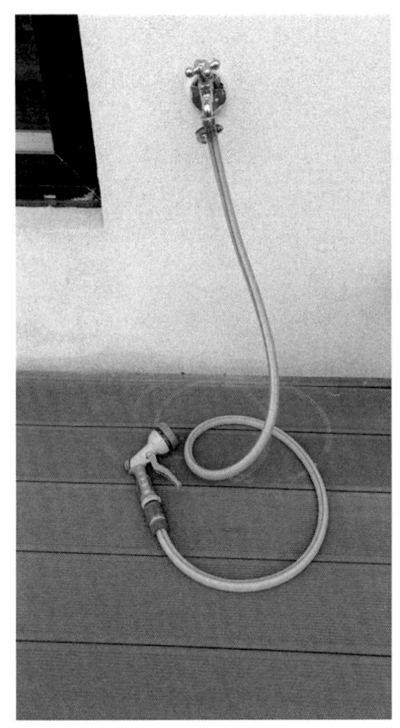

물조리개의 진화

두 번째로 주기적으로 식물을 심어 보았다. 2년 차 정원 땅에는 아직도 많은 빈칸이 있다. 빈칸을 채우지 않으면 내가 원하지 않는 잡초들이 무수히 자라난다. 인터넷에 다양한 식물과 식물 정보가 있지만 정답이 없었다. 내가 가진 환경에서는, 나라는 사람에게서는 항상 다른 결과가 나왔다. 직접 해보고 경험해 보는 것 말고는 믿을 것이 없었다. 화원이라는 곳에 다녀본 적도 없고 같이 갈 사람도 없어서 망설이다가 과감히 혼자 걸음을 해봤다. 어떤 식물이 보기도 좋고 알아서 잘 크는 유망주일지 고민해 봤다. 저렴하고 죽어도 마음이 덜 아플 것 같은 일년생 식물 포트를 골랐다. 식물 쇼핑은 마음껏 골라도 가격이 저렴해서 기분 전환에도 딱이었다.

모종의 변화

실내에서도 식물을 키웠다. 인터넷으로 씨앗을 사서 실내에서 씨를 뿌려서 모종을 만들었다. 더 크게 키우고 싶거나, 더 이상 키우고 싶지 않으면 마당으로 보냈다. 눈앞에서 사라지게 하여 무관심한 시간을 갖는 것인데, 요즘 같은 무더운 시기에는 대부분 식물은 밖에서 적응 과정을 거친 뒤 무한 성장을 했다. 작년 가을에 실내에서 키우다 노지에 정식한 램스이어는 거의 100배의 자구를 달고 몰라보게 퍼지고 있고, 델피늄 또한 꽃대를 올리며 위로 쑥쑥 자라고 있다. 바질은 작년에 잘 되어서 올해도 50개 이상 씨를 뿌려서 밭을 만들어 볼 셈이다. 실내에서 여리여리했던 한련화는 마당에서 자리를 잡더니 어마어마하게 성장해서 꽃을 뽑아내고 있다. 태양이 높게 솟아오르며 뭘 심어도 잘 자라는 여름 성수기가 다가온다.

황금사철, 국화 흙꽂이의 변화

주택은 업그레이드 된다

집을 지으며 각종 공사를 몰아서 한 것 같지만 집이 완성되고도 소소한 공사가 몇 건 생겼다. 첫 번째는 2층 베란다에 차광막을 설치한 것이다. 집이 완공된 해 여름에 누수가 생겼는데, 2층 베란다에서 흐른 물이 아래층 테라스 천장에서 새는 것이다. 집 안에서 새는 것이 아니라 애매하지만 그래도 누수가 아닌 건 아닌지라 비 올 때마다 똑똑 떨어지는 빗방울이 큰 스트레스가 되었다. 시공사에서는 두 번이나 방수 페인트를 다시 발랐지만, 누수는 잡히지 않았다. 계속되는 보수와 누수의 반복으로 지쳐갈 때쯤 남편이 2층 베란다를 차광막으로 덮어버리면 어떻겠냐는 아이디어를 냈다.

가족이 동의를 하고 시공사에 폴리그라스 차광막 공사 의뢰를 하여 오랜만에 다시 공사를 하게 되었다. 차광막 업체를 따로 찾지 않고 기존에 우리 집을 설계했던 건축사에게 공사 의뢰를 하였다. 장점은 우리 집의 사이즈나 자재를 다 알고 있어서 기존 베란다 난간의 색과 규격에 딱 맞게 기둥을 짜와서 덧붙인 느낌이 전혀 안 난다는 점이다. 단점은 큰 공사를 주로 하시는 분들이라 이런 소소한 공사는 잘 기억에 안 났던지 시간 약속이 어긋나서 날씨와 스케줄 때문에 애를 태웠던 점이다. 그리고 용접하는 날 바람이 많이 불었던지 유리에 불똥이 튀어서 표면이 손상되어 유리를 새 걸로 갈아야 했다.

차광막 설치 완료

어찌 됐든 우리가 원하는 색과 디자인에 맞춰서 튼튼하게 차광막이 설치가 되었다. 직광을 받던 예전에 비해 2층 거실에 약간의 빛 손실은 있지만, 비가 와도 전혀 걱정이 없고, 위가 덮여 있으니 베란다에 더 자주 나가게 되는 장점이 생겼다. 베란다가 완전한 실외 공간에서 좀 더 실내 공간에 가까워진 느낌이 든다. 언제든지 마당을 볼 수 있어서 베란다에서 간단히 아침을 먹고 해 질 녘엔 차 한잔 마시고 쉬기도 좋다. 2층 공간이 생긴 김에 옥상 정원처럼 활용할 요량으로 실내에 있던 화분들을 많이 빼놓고 새로운 식물을 들이고 있다.

차광막으로 더 넓어진 집

더 자주 나가게 되는 2층 데크

두 번째는 태양광 발전기 설치이다. 주택을 지을 준비를 하면서 '패시브 하우스'라는 것을 알게 되었다. 단열 및 에너지 효율을 극대화하는 집인데, 환경도 보호하고 공과금도 줄일 수 있는 솔깃한 개념이었다. 하지만 건축비가 많이 들고 공간 손해도 있을 수 있어서 입맛만 다시고 말았다. 그래도 한 가지 포기할 수 없는 것이 있었는데, 그게 바로 태양광이었다. 지붕에 예쁘게 올라간 태양광 패널로 전기비를 아낄 수 있고는 정부 지원도 있다고 하니 주택 살이의 특권처럼 느껴졌다. 우리도 지원을 받기 위해 기회를 노리던 중에 거리에 주택 태양광 설치 홍보물이 붙어서 바로 연락을 했다. 상담 전화를 하고 실사가 나왔다. 떨리는 마음으로 기사님을 뵙고 기사님이 우리 지붕 구조를 둘러보시더니 올라갈 공간이 없어서 태양광을 설치할 수 없다고 했다. 화장실에서 지붕 뒤편으로 연결되는 공간이 있어야 한다고 했다. 아쉽지만 집이 이미 그런 구조로 지어졌기 때문에 마음을 접는 것밖에 별도리가 없었다. 꼭 하고 싶었는데 못하게 되어서 주변 주택의 태양광을 볼 때마다 마음이 쓸쓸했다.

그러던 어느 날 남편에게 한 통의 전화가 왔다. 태양광 설치 현장 실사를 한 번 더 나온다는 것이다. 큰 차이가 있겠냐 싶었지만 마침 주말이라 오시라고 했다. 다른 기술팀이 우리 집을 둘러보더니 지붕 말고 마당에 패널을 설치하는 게 어떻냐고 했다. 전혀 생각지 못한 대안이었다. 남편은 좋다고 했고, 마당을 좋아하는 어머님과 나는 최대한 화단 손실을 줄이기 위해 구석 화단에 설치하는 방향으로 결론을 내렸다. 한번 거부를 당했던 터라 우리는 마당에라도 하고 싶었다. 기둥이 설치될 대략적인 위치를 알려주고 아래 나무를 다른 곳에 옮겨 줄 것을 요청하고 가셨다.

공사 날짜가 정해지고 며칠 후 자재가 미리 도착했다. 우리는 나무 2개를 다른 곳으로 옮겼다. 공사는 하루 만에 마무리가 되었다. 공사 팀이 기둥이 수직이 맞지 않아 한 번 추가 공사가 있었고, 인부들에게 밟혀서 화단이 쑥대밭이 되었다는 단점이 있었지만, 우리는 마당 한편을 차지한 거대한 태양광 발전기에 빠르게 적응을 했다. 발전기 패널이 높아서 생각보다 시야를 가리지 않았다. 대신 아래 그늘 공간이 생겨서 농기구함과 각종 포대를 아래로 옮기고 어머님 황토 지압 공간을 마련했다. 짐이 사라지자 1층 테라스 공간이 넓어졌다. 전기도 차곡차곡 생산이 되는 데, 마침 6월 말 초여름 땡볕이 시작되어 해가 찌는 날에는 15와트까지도 생산이 된다. 이 태양열이 얼마나 전기요금을 줄여줄지, 전기 고지서가 기다려지기는 처음이었다.

설치할 자재 도착

기둥 박기 위해 밑 작업

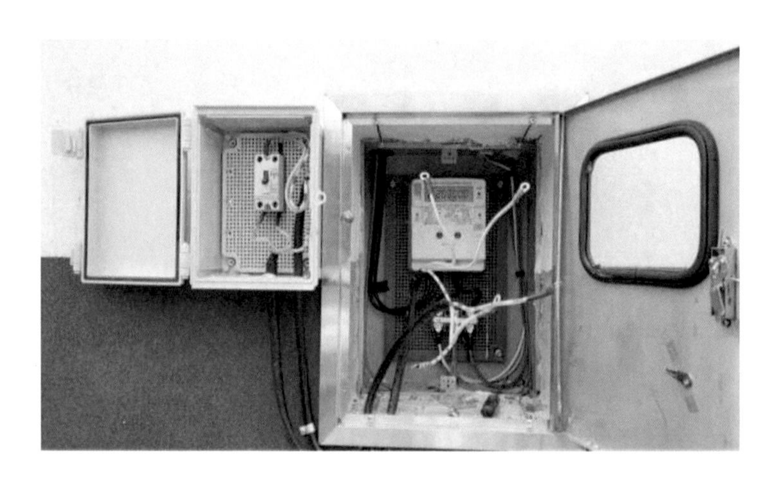

태양광 단자 설치

기둥 박고 패널 올리기

집을 다 짓고 살게 된 지 1년 반 동안 생각지도 못한 두 건의 공사를 6월에 다 몰아서 하게 되었다. 우리처럼 마을의 주변 집을 봐도 집이 건축된 이후에 살면서 공간이 확장되거나 보수를 하는 경우를 보게 된다. 썬룸을 만드는 집도 있고, 현관이나 담장을 확장하는 집도 있었다. 새로운 공간이 생기면 새로운 활동이 가능해지고 삶에 활력을 준다. 새로운 변화도 줄 수 있는 집에서 더 오래 살고 싶지 않을까. 사람의 취향이 변하듯이 공간도 따라 새롭게 변화할 수 있다는 점이 주택의 큰 매력인 것 같다.

완성된 태양광 패널

죽어도 도심에 살으리랏다

단독 주택하면 주로 산과 논으로 둘러싸인 전원주택을 떠올리겠지만 우리 집은 지방 도시의 중심부에 있다. 내가 사는 도시는 꽤 오랜 역사를 지닌 인구 70만 정도의 도시인데 2007년에 신도심을 확장했고 각종 관공서와 주거단지를 구획하여 개발했는데, 그중의 주택 단지가 현재 우리가 사는 마을이다. 작년에 집을 짓기 위해 우리 지역의 여러 주택 단지를 둘러보며 비교해 보았다.

첫 번째는 도시 외곽에서 약간 떨어진 전원마을이었다. 높은 산이 둘러싸고 있고, 바로 옆에 큰 호수가 있어서 공기가 참 맑았으며, 산책로도 좋았다. 하지만 근처에 가게도 별로 없고, 차를 타지 않으면 갈 만한 곳이 전무해 보였다. 은퇴하고 나이가 지긋하신 분들이 주로 집과 마당에서만 생활할 요량으로 지내는 곳인 것 같았다. 이사를 가면 불편하고 심심할 것 같아서 이 단지는 적합하지 않았다. 두 번째 주택 단지는 도심 속에 있었다. 하지만 큰 산을 뒤에 끼고 마을 전체가 높은 담으로 둘러싸인 폐쇄적인 형태의 마을이었다. 그 마을이 속한 지역이 오래되고 큰 장점이 없어서 여기도 제외되었다. 세 번째가 우리가 살게 된 마을인데, 도심에 있으면서도 각종 편의 시설에 걸어갈 수 있을 정도로 가깝고 주변에 일 보러 오가는 사람들이 지나다닐 수 있는 개방된 마을 구조라 마음에 들었다. 도심에 있으면서도 마을 안에 들어오면 조용히 산책할 수 있는 동네였다. 우리는 그곳의 땅을 알아보고 집을 지어 살게 되었다.

마을 산책길

이사를 오면서 집도 바뀌었지만, 동네가 바뀐 것이 더 큰 변화였다. 전에 7년간 살았던 아파트는 도시의 외곽에 있었고, 동네가 크지 않았다. 교통이 좋아서 아파트도 새로 생기고 여러 상가가 늘긴 했지만 도시 외곽이다 보니 불편한 점이 있었다. 병원이나 은행은 기본적인 것만 있어서, 피부과를 가거나 새로운 병원을 가보려면 다른 동네로 찾아가야 했다. 얼마 걷다 보면 논이다 보니 또 동네 맛집 몇 군데 가는 것 말고는 동네를 구경하거나 돌아다니는 일도 별로 없었다. 자연히 집 안에서 시간을 보내거나, 차를 타고 멀리 나가서 구경하고 돌아오거나 차박을 하러 다니곤 했다. 하지만 도심지 동네로 이사 오고 나니, 조금만 걸어가면 사람들이 일 년 내내 바글바글하고 반짝반짝 빛나는 상가와 높은 건물들이 즐비한 모습이 나왔다. 같은 도시에서 쭉 살고 있지만 동네를 옮기지 같은 도시가 맞는지 생경한 기분이 들었다.

산책을 자주 하게 되었다.

도심 주택 생활의 장점을 꼽아보자면 아파트 생활의 편리함을 그대로 가져가는 주거 환경인 것 같다. 그래서 아파트 생활을 오래 한 우리 가족은 이사 오고 나서도 안팎으로 집안일을 몇 가지 더 해야 한다는 점 외에는 크게 불편한 점은 못 느끼고 있다. 조금 걸어가면 대형 마트와 로컬 푸드 마트가 있어서 식재료를 필요할 때 간단하게 살 수도 있고, 주말에 몽땅 사 올 수도 있다. 이사 오기 전에는 경비원도 없고, 낮에 집을 비우는 맞벌이라 택배를 어찌 받아야 할지 고민이 들었다. 하지만 무인택배함을 이용해서 택배를 받는 것도 가능하고, 반품하는 것도 가능해서 전혀 불편이 없었다. 아파트 살 때처럼 로켓 배송도 가능하고 다양한 택배도 쉽게 받을 수 있다.

큰일 하는 우편함과 택배함

거기에 걸어가는 거리에 초등학교도 있고, 주변에 고등학교가 4개나 있어 초등학생 아들이 앞으로 학교 생활도 순탄하게 보낼 수 있을 것 같다. 근처에 은행이나 병원도 다양해서 퇴근길에 잠깐 병원이나 은행에 들렀다 갈 수도 있다. 몸에 불편한 것이 있어도 병원이 멀면 안 가고 그냥 넘길 때도 있었는데 병원에 가볍게 들를 수 있어서 더 건강해지는 기분이다. 봄에는 알러지성 결막염을 치료했고, 미뤄뒀던 레이저 제모도 드디어 받고 있다. 한 달에 한 번 돌아오는 아들의 교정 치과도 부담 없이 걸어서 갔다 올 수 있다. 저녁밥 먹고 다 치우면 괜히 동네를 한 바퀴 돌며 바뀐 계절을 느껴보고, 좀 더 걸어서 도청 앞 도심 상가를 둘러보며 구경하는 이유 없는 동네 산책이 정말 많아졌다.

어느 더운 여름날, 마당에 잡초를 뽑고 삽으로 흙도 일구고 반나절을 꼬박 밭일을 했다. 긴 시간 육체 노동에 너무 지쳐서 힘들었는데, 남편이 수고했다고 외식을 하러 갔다. 그래서 온 가족이 도심 상가로 가서 매콤한 마라샹궈를 먹고 2차로 근처 맥주집에서 맥주를 마셨다. 왁자지껄한 도시의 여름밤을 시원한 생맥주 한 잔으로 마무리하니 하루의 피로를 풀 수 있었다. 낮에는 내가 시골 사람 같았는데, 밤에는 완벽한 도시인으로 돌아올 수 있었다. 단독주택 살아보니 집도 집이지만 그 집이 어느 동네에 있느냐도 중요하다. 그런 면에서 도심 주택에서 사는 것이 참 만족스럽다.

주택의 가을

주택의 가을은 마무리다. 높은 하늘 아래 벼는 익어가고 태양은 다정한 햇살을 비춘다. 산은 단풍으로 불타고 길가의 가로수가 떨궈내는 낙엽은 걸을 때마다 바스락거린다. 반년을 기다린 마지막 꽃타자 국화가 피어나고 이제 올해를 정리해야 한다.

기나긴 장마에 녹아버린 텃밭 작물과 화단의 꽃을 뽑아낸다. 1년 동안 행복하게 해준 일년초에게도 안녕을 고한다. 죽은 나무를 뽑고, 빈자리를 채운다. 화분을 집 안으로 옮기고, 정원에 남게 된 식물은 따뜻하게 덮어준다. 빈 땅에 거름을 섞어 구근을 심고 월동 씨앗을 뿌리면 정원은 봄을 향해 조용히 잠든다.

장마가 휩쓸고 간 텃밭과 화단

올 여름은 유난히 덥고, 비가 많았다. 정원을 갖게 된지 이제 2년째지만, 이상 기온의 영향인지 올 여름은 작년과 식물들이 사뭇 달랐다. 주변에 식물 가꾸는 사람들이 하나같이 올해 힘들었다는 이야기를 했다. 숨 막히는 거대한 수조 안에서 식물도 인간도 힘겹게 버틴 것 같다. 로즈마리, 라벤더, 마가렛, 페튜니아까지 아무리 신경써도 족족 죽어가는 생명이 참 속절 없었다. 죽지 않은 목수국은 볼품 없는 꽃을 피워 올리고 말았다. 더위가 한풀 꺾이고 고인 빗물이 다 빠져서 정신 차려 보니 식물들이 죽고 녹아내려 처음부터 없었던 것처럼 그냥 사라져 버렸다. 전체적으로 정원에 꽃이 실종되고 빈자리가 늘었다. 이제 살아남을 놈만 살아 남았구나라고 생각하니 마음이 착잡하기도 하고 이 빈칸을 어찌 채워야 할까로 생각으로 옮겨갔다. 빈칸에는 잡초가 빠르게 자리를 잡으니, 빈칸을 없애는 것이 나의 목표가 되었다.

가을을 맞이하는 마당

화원에 달려가보니 화원도 사정은 마찬가지였다. 모든 식물을 다 키워내실 것 같은 화원 사장님도 날이 더워서 꽃이 없다며 더 시원해지면 오라신다. 결국 빈손으로 집으로 돌아왔다. 생각해보면 화원에서 식물을 사와서 심었다고 하루 이틀은 예쁘겠지만 길게 잘 자란다는 보장도 없었다. 비어있는 축축한 땅에서 정신없이 자라나던 잡초를 뽑아내다가 죽지 않고 살아남은 식물에게 눈길이 갔다. 잘 되는 식물을 늘려나가자 싶었다.

많은 비를 겪었지만 죽지 않고 키가 멀대같이 커서 꽃을 달아낸 백일홍 줄기를 잘랐다. 군데 군데 잘라 생장점을 땅에 묻었다. 일명 흙꽂이 번식인 데 될지 안될지 찾아볼까 하다가 인터넷 검색창 속 의견보다 내 눈앞에 펼쳐진 생명의 현장을 믿어보기로 하고 바로 진행했다. 잘 되던 식물인 버들마편초, 바질의 줄기를 잘라서 바로 옆의 빈 땅에 꽂았다. 키다리 백일홍 2주는 십여 개의 미니 백일홍이 되어 땅에 꽂혔다. 신기하게도 백일홍은 줄기는 죽지 않고, 꽃망울을 달기 시작했고, 바질도 귀여운 꼬마 바질을 내주며 새잎이 나오기 시작했다. 버들 마편초도 난쟁이지만 푸릇한 잎이 돋아났다. 잡초 대신 피어날 버들마편초와 백일홍의 아름다움을 상상하니 마음이 뿌듯했다. 한 달 뒤, 자라나는 바질 잎을 모두 수확하여 바질페스토를 만들 수 있었다.

나는 현실을 외면하고 상상이나 멀리 있는 것을 쫓는 습관이 있었다. 내가 이미 가진 것은 시시해 보이고 제일 소중히 여기지 않았다.

사람이든 물건이든 내가 가진 능력이든, 새롭고 내가 갖지 못한 것이 좋아 보였다. 하지만 계절과 땅과 기후가 만들어 내는 하모니인 정원 앞에서 내 곁에 자리 잡은 생명을 소중히 하고, 거기서 만족을 얻는 습관이 생긴 것 같다. 내가 가지지 못했던 환상 속의 식물이 아닌 내 마당에 있던 백일홍과 버들마편초와 바질이 군락을 이루며 정원을 채워준다면 그래도 꽃이니까 나는 있는 그대로 행복할 것 같다.

화단은 이렇게 한 소금 마무리가 되었지만, 텃밭은 점점 더 미궁 속으로 빠져들고 있었다. 우리 집 텃밭은 지대가 낮은 쪽이라 물이 모여드는 위치에 있다. 화단은 비가 그치고 하루 이틀이 지나면 바로 마르는데, 텃밭은 일주일 정도 웅덩이가 생긴다. 텃밭 작물들이 워낙에 자유분방하게 자라다 보니 그 웅덩이에 떨어진 감이며 호박 줄기가 고인 물에 닿아서 썩어갔다. 젖어 있는 흙에 묻혀 자라던 당근은 땅속에서 물러버려 뽑을 수도 없게 되었다. 습한 데 썩는 냄새까지 나니까 텃밭 쪽은 쳐다보기도 싫은 지경이 되었다. 빛은 없고 물로만 적셔진 수확품도 볼품 없고, 벌레들의 놀이터가 되어 버렸다. 내가 전업 농부였으면 이 난리에 울고 싶었을 것이다.

축축한 텃밭 위 비집 흙꽂이

어느 주말 방치되는 텃밭을 그냥 둘 수가 없어서 과감하게 작업에 들어갔다. 먼저 누렇게 마른 줄기가 되어 버린 오이와 호박 줄기를 모두 뽑고 지지대를 치웠다. 호박의 경우는 너무 빨리 자라면서 여기저기를 침범하고 엉키며, 만지면 까끌한 느낌이 있어서 키우기가 힘들었다. 봄에 심은 4개의 호박 모종에게 호되게 당했다. 줄기와 덩굴에 마구 뒤엉킨 호박과 호박잎을 포기하고 모조리 뽑고 잘라서 버렸다. 어찌나 큰지 마대자루에 꽉 차서 버리는 것도 힘들었다. 호박은 식물인데 움직이는 동물같다. 청양고추, 당조고추도 노린재의 습격으로 시들해져서 뽑았다. 가지와 방울토마토는 덩굴식물이 되려는 지 길게만 자라고 엉켜서 열매가 적었다. 몇 개 뽑아서 화분으로 옮겨서 통풍을 시켜주었다. 와중에 고구마와 가지는 참 잘 자랐다. 작년 음식물 쓰레기로 묻어놓은 고구마에서 싹이 나더니 덩굴을 이

뤘다. 가지는 병충해도 없이 열매가 자꾸 열렸다. 맨날 가지볶음을 해 먹고 옆집에도 여러 개 나눠 줬다.

그래도 피어난 백일홍과 버들마편초

이렇게 5월에 시작해서 9월 초까지 긴 장마로 올해의 텃밭 봄, 여름 버전이 마무리되었다. 작년의 성공과 실패를 거울삼아 올해 키울 작물을 정했는데 길어진 장마라는 변수로 예상과는 참 다른 결말을 맞아 황급히 마무리 되었다.

이처럼 올 여름은 많은 사람에겐 아픔과 고통의 시간이었을 것이다. 오래전부터 경고되었던 기후 변화와 지구 온난화가 해가 갈수록 더 가까히 왔다. 적응하지 못하고 사라진 식물을 생각하고, 이웃의 마당에 있는 커다란 바나나 나무를 보았다. 한반도도 동남아 열대 기후처럼 변화할 것인지. 과연 나의 자녀의 자녀 세대는 어떤 기후에서 살아가게 될지 자신이 없다. 인간도 식물도 모두 적응이라는 큰 과제 앞에 놓여있다.

앞으로도 이렇게 비가 많이 올 텐데 벌써부터 내년이 걱정된다. 화단도 텃밭도 포기할 수 없는 사람이기에 내년의 기후에 또 적응할 고민을 하고 있다. 화단에는 장마에 강한 수국이나 열대 식물인 파초나 바나나 나무를 심고, 텃밭은 쿠바식 틀밭처럼 지대를 높히는 작업을 해야 할 것 같다.

정원은 끝나지 않았다

뜨겁던 여름의 온도가 점점 내려가더니, 단풍이 지고 낙엽이 하나 둘 떨어지는 가을이 왔다. 아침저녁으로 추워진 날씨에 감기라도 걸릴까 반팔은 옷장 깊숙이 숨어버렸다. 주택으로 오기 전에는 가을 정취를 느끼는 감성이 가을이었는데, 마당을 가진 자로서 가을은 마당을 정리하고 내년을 준비하는 계절이 되었다.

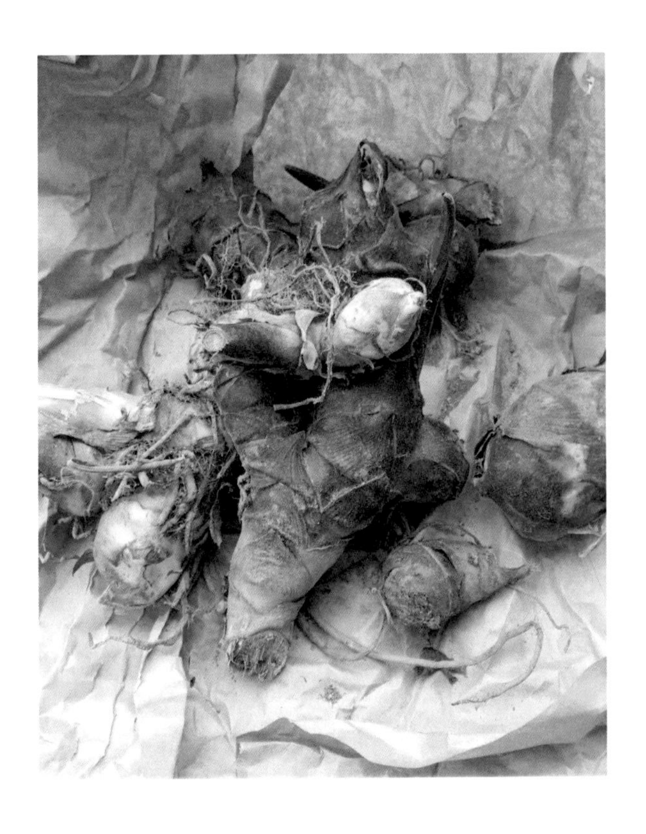

캐낸 칸나 구근

일단 본격적인 겨울이 오기 전 식물을 정리해줘야 한다. 서리가 오기 전에 칸나 구근을 캐고, 여름 식물을 정리했다. 우람한 기세로 앞집 에어컨 실외기 바람의 공격에도 끄떡하지 않고 우리의 담장이 되어준 칸나의 대를 잘랐다. 식물 카페 나눔으로 다섯 덩이 정도 심은 것 같은데, 주렁주렁 덩이가 불어났다. 뿌리를 모두 잘라내고 이틀에 걸쳐서 엉겨 붙은 흙을 털어냈다. 다시 적당하게 나눠서 스티로폼 박스에 넣어서 실내로 들였다. 이사오기 전에 실내에서 키우던 식물들이 질려서 실험 삼아 바깥으로 보내봤는데, 대부분이 잘 컸다. 강한 여름 햇살의 힘으로 폭풍 성장을 해서 몬스테라, 알로카시아는 사람 얼굴만 한 잎을 뽑아냈다. 아쉽지만 다시 실내로 들어갈 시간이다. 다는 못 들어가고 일부만 추려서 실내 화분으로 옮겼다.

바깥에 머무는 식물들도 관리가 필요하다. 더벅머리처럼 정신없이 자라난 나무가지들을 잘라줬다. 우리 집은 2년 차라 그렇게 자를 게 많지는 않다. 배롱나무 죽은 가지와 제멋대로 뻗어버린 단풍나무의 윗부분을 잘랐다. 도구가 마땅찮아서 인터넷으로 톱을 샀다. 단풍나무 줄기가 굵진 않은데 그래도 끊어 내려면 사방으로 돌려가며 톱질을 해야 했다. 건물 수목 관리인이 된 기분이었다. 다음으로 울타리목인 홍가시나무 죽은 가지를 잘라내고 한 줄기 싹만 삐쭉하게 뻗은 황금사철나무를 잘랐다. 시원하게 잘라주니 옆집이 더 잘 보인다. 옆집도 부부가 나와 마당의 각종 나무의 가지를 치고 가지 쓰레기를 정리하고 있었다. 집을 지은 지 10년이 넘은 집이라 전지 작업을 한 번 해주면 정원의 인상이 훤해 보인다. 마당이 넓은 다른 집은 일꾼이 와서 하루 종일 전지 작업을 하는 데, 일 년에 두 번은 정기적으로 하는 것 같았다.

추워지니 모기가 좀 줄었나 싶더니 어디선가 송충이가 출몰하기 시작했다. 1층 데크 천장에 10마리 넘게 붙어 있어서 깜짝 놀랐는데, 아무리 죽여도 계속 나왔다. 이웃에게 들으니 마을에 전체적으로 나타나는 시기가 있다고 한다. 매일 정원 여기저기서 나타나는 송충이들을 떼서 밟는 것이 일과가 되었다. 고양이가 한동안 안 싸던 똥을 싸기 시작해서 똥도 매일 치운다. 가을을 맞으니 동물들도 나름의 준비를 하는 듯했다.

가을엔 이처럼 할 일이 있지만, 아직 꽃을 보는 재미도 있다. 작년에 사 온 국화꽃이 여름내 자라다가 꽃망울을 달았다. 꽃망울이 하나둘 터지는 과정이 얼마나 애를 닳게 했는지 모른다. 자칫 심심할 뻔했던 가을 정원에 멋진 노란색과 보라색 입혀줬다. 길에는 코스모스, 갈대가 휘날리고, 초록 잎은 노랑, 갈색 낙엽으로 바뀌어 흩날린다. 가을은 참 낭만적인 계절이다. 곧 꽃이 다 사라질 것을 아는 아쉬움으로 마지막 꽃 잔치를 즐겼다. 버들마편초, 밀레니엄 벨, 백일홍, 한련화까지 봄부터 쉬지 않고 달려온 일년초들도 아직 살아있다. 이 고마운 꽃들을 내년에는 더 많이 심어서 더 오래 곁에 두고 싶다. 핸드폰 속 정원 사진첩을 처음부터 다시 넘겨 보며 올해 정원이 지나온 모습과 내년에는 어떤 정원을 만들어야 할지 부지런히 상상에 빠졌다.

마지막 가을을 불태우는 꽃들

식물의 경우 무언가를 해주면 당장 바뀌는 것은 거의 없고, 빨라야 한 달 길면 몇 년도 기다려야 한다. 사람이 절로 부지런해지게 된다. 지금 움직이지 않으면 내년에 볼 것이 없다. 정원의 식물 종류가 늘어나서 뭐를 어디에 심었는지 까맣게 잊어버린 지경에 이르렀다. 몇몇 종류는 겉으로는 아예 보이지 않아서 존재 자체를 잊기도 한다.

이름표를 만들어서 땅에 꽂아 놓고, 집으로 돌아가 정원 식물 지도를 만들었다. 위치에 맞게 이름을 죽 썼더니 이것저것 2년간 참 많이도 가져다 심었다. 과감히 버리고 정리해야 할 필요성을 느낀다. 내년에는 좀 단순하면서도 오래가는 화단이었으면 좋겠다.

메인 꽃으로 '델피니움'을 골랐다. 꽃씨를 여러 개 뿌렸다. 겨울 내 집에서 키워서 내년에 군락을 이루게 해보고 싶다. 또 화단에 크리스마스에 장미를 보여준다는 겨울 꽃 헬리보루스를 심었다. 구근도 주문해서 미니 수선화 10개를 주르르 심고, 사이사이 빨강 튤립을 심었다. 매년 봄이 오면 노랑과 빨강의 콜라보가 펼쳐질 것이다. 이미 식물이 많은데 주기적으로 오는 식물 택배를 보면 이제 좀 멈춰야 하지 않을까 싶지만, 지금 심어야 내년에 볼 것이 있다는 다급함에 자꾸 지갑을 열게 된다.

작년에는 가을에 텃밭을 정리하고 땅에 비닐만 덮어 놓고 겨울을 보냈다. 하지만 긴긴 겨울을 빈터로 보내는 것은 너무 지루했다. 땅에서 열심히 겨울을 이겨내는 채소들을 보는 재미를 느끼고 싶어서 월동채소에 도전했다. 인터넷을 검색해 보고 가장 간편해 보이는 마늘, 시금치, 봄동을 심기로 했다. 마늘과 시금치는 땅 만들기가 중요하다. 토양살충제와 석회비료를 사서 상토에 섞어 뿌렸다. 며칠이 지나 가스가 빠진 뒤, 마늘을 심고, 시금치와 봄동 씨앗을 뿌렸다. 이제 물 좀 주고 잘 자라는지 이따금 봐주면 된다. 과연 글로 배운 농사가 성공할 것인지 내년 봄이 기대된다. 추운 겨울을 이겨내며 자라나는 채소들을 보면 나도 힘이 날 것 같다. 이런 일들을 다 끝내 놓으니 나도 이제 마음 편하게 겨울을 맞을 수 있을 것 같다.

싹이 난 월동 마늘, 알타리, 쪽파

가을과 겨울 사이

따뜻했던 가을 날씨가 하루 만에 차가운 바람으로 변했다. 창문을 열어 차가운 바람을 맞으며 따뜻한 캐럴을 들으면 딱 어울리는 그런 계절이 되었다. 수국은 꽃 모양 그대로 바싹 구워진 것만 같고, 잔디는 누렇게 물들어 가며 정원에는 냉기가 돈다. 이 타이밍에 화분을 보면 이 식물은 월동을 하던가 안 하던가 기억을 더듬어 본다. 그래서 월동을 못하는 식물은 눈에 띄는 대로 안으로 들인다. 그래서 실내는 다시 식물들로 복작거리며 가득 차기 시작하고, 밤이 되면 더 추워지는 날씨에 가스보일러를 다시 돌리기 시작했다. 이제 추워서 마당에서 하던 줄넘기나 물 주기도 잘 나가지도 않는다. 식물도 사람도 이제 실내에 콕 박혀서 살아야 한다.

서리가 내리고 첫 눈이 내렸다

꽃에게는 강인해지는 시기

자연히 이 시기가 되면 폭주하던 식물 욕심도 접게 된다. 정말 키우고 싶은 식물만 남기게 되는 거대한 겸손 앞에 서게 된다. 마음씨 좋은 식집사들의 식물 나눔도 안 받고, 씨앗도 안 사고, 흙꽂이 상자도 깨끗이 비웠다. 올해 틈틈이 꽂아놓은 흙꽂이 성적은 별로 안 좋은데, 뿌리가 난 식물들도 땅에 심으면 거의 다 죽었다. 6월에 삽목한 황금사철나무 10주만 내년을 함께 맞을 것 같다. 길고양이가 들락날락거리느라 생겨버린 황금사철나무 사이의 큰 구멍을 어린 황금사철나무 흙꽂이 3주로 막았다. 작년에는 식물 열정을 죽이지 못하고 겨울에 집에서 파종을 해보겠다며 10종류 넘게 씨앗을 뿌렸다. 새싹들은 실내에서 크다가 죽고, 너무 일찍 마당으로 정식했다가 얼어 죽고, 겨울 여행 때 물을 못 줘서 말라죽기도 했다. 새싹부터 키우기에는 너무 연약한 생명체들이었다. 그래서 이제는 식물에 대한 욕심과 책임감을 번갈아 보다 과감히 포기를 선택할 수 있게 됐다. 올해는 델피니움 한 종류만 뿌려서 키울 것이다. 델피니움은 작년에 뿌렸던 10종 중에서 유일하게 잘 됐는데, 겨우내 집에서 새싹부터 본잎 몇 장 나올 때까지 차근히 키우다가 날이 풀리고 마당으로 옮겨 심었더니 쑥쑥 자라 아름다운 꽃까지 줬다. 긴 시간 농축했던 에너지를 폭발해서 엄청난 성장을 해낸 것이다. 램스 이어, 버들마편초도 파종으로 시작해서 엄청 번식을 잘해서 정원 한쪽을 든든히 채웠다.

짙어지는 황금사철

월동 에피소드가 하나 있다. 이사 온 첫해에는 경험이 없어서 월동 준비를 철저히 해놓지 않으면 마당의 모든 식물이 죽어버릴 것 같은 공포심이 있었다. 그래서 어느 유튜버가 낙엽으로 흙을 덮어서 월동을 하는 팁을 주는 영상을 보고 환경미화원이 길에 모아놓은 낙엽 쓰레기봉투를 퇴근길에 부지런히 짊어지고 집으로 왔다. 대형 쓰레기봉투를 열어서 화단에 뽀얀 먼지를 일으키며 골고루 쏟아부었다. 구하기 편하고 돈도 안 드는 낙엽 이불을 잘 가져왔다고 속으로 기뻐했다.

하지만 건조한 겨울 내내 그 낙엽이 정원 이리 저리로 흩어지며 날리니 너무 지저분했다. 남들은 쓸어내는 낙엽을 도리어 뿌린 것이다. 봄쯤 되니 검게 썩어가는 낙엽들이 더 지저분하게 날리기 전에 다시 하나하나 주워 담아야 했다. 생각해 보면 내가 사는 곳은 남쪽 지방이라 이렇게까지 보온을 할 필요는 없었다. 내가 따라 한 정원 유튜버는 강원도에 살고 있는 듯했다. 옆집에 물어보니 따로 월동 준비 안 시켜줘도 수국도 장미도 다시 핀다고 하니, 다시는 낙엽은 뿌리지 말고 빈 땅 위에 비닐 정도를 덮어줄 생각이다. 혹시나 까먹고 챙기지 못해 얼어 죽는 식물이 생기더라도 죽는 대로 둘 생각이다. 정원 2년 차에 점점 편안한 정원을 추구하려고 하기에 기후에 맞지 않는 식물은 키우지 말자는 마음이 생겼다.

거창했던 작년 월동

약소해진 올해 월동

이렇게 시간을 보내다 보니 11월 중순이 되어 서리가 왔다. 이제 살 놈은 살고 죽을 놈은 죽는 시기가 되었다. 월동 준비 리스트에 들지 못해 죽어가는 식물 몇 종류가 보인다. 텃밭을 보니 월동 시금치는 새싹 상태로 서리를 맞았지만, 과연 추위에 강한 품종이라더니 눈 맞고도 자라는 모습이 놀라웠다. 하지만 스티로폼 상자에서 한 달 정도 자란 알타리 무는 더 이상 커지지 못하고 노란 잎을 내고 있다. 봄에 심은 가지도 얼고, 바질도 얼었다. 봄에 심은 채소들은 장엄한 끝을 맞았다. 서리는 식물뿐 아니라 골목에 세워둔 내 차에도 내렸다. 아침에 출근하려면 차의 앞, 옆, 뒷유리까지 두껍게 내린 서리를 처리해야 했다. 물을 뿌리고, 열심히 긁고 닦는 수고가 든다. 차 안도 추워서 카 시트, 핸들 열선, 히터까지 모두 켜도 춥다. 직장이 별로 안 멀어서 이렇게 추운 겨울에는 차 없이 걷는 게 남는 장사라는 생각이 들었다.

추워서 외부 가드닝은 줄여야 하지만 좋은 점이 있는데, 각종 해충이 없다는 점이다. 일단 모기가 줄어서 정원에 못 가는 곳이 없다. 정원에는 모기가 유난히 더 많은 그늘진 구역이 있어서 뭐라도 심으려고 하면 옷을 뚫고 모기를 물릴 마음을 먹고 들어가는 데, 겨울에는 어디든 갈 수 있어서 자유롭다. 또 여름에는 음식물 쓰레기를 내놓으면 혹여나 구더기 군단을 만날까 공포심이 생기는데, 겨울에는 구더기가 안 생겨서 음식물 쓰레기가 쾌적하다. 바깥을 나가도 차가운 공기가 깨끗해서 마스크가 필요 없고, 텃밭에 노린재와 각종 잎벌레도 점점 사라진다. 잡초도 가끔 지나가다가 뽑는 수준으로 관리가 끝난다. 약을 잘 안 하는 친환경 정원에는 겨울만한 치료제가 없다. 방해꾼이 없는 텃밭에는 대신 월동 시금치와 마늘, 봄동을 심었는데, 벌레는 없지만 추위에 지지 않기를 바랄 뿐이다.

눈 맞고도 자라나는 새싹

집에서 보내는 시간이 길어지는 겨울은 길고 겨울밤도 유난히 길다. 겨울밤 마을 밤 산책을 나가보니, 이웃집에는 겨울맞이 못 보던 조명 장식이 보이기 시작했다. 전구로 나무를 감싸니 대형 크리스마스 트리가 되어서 밤새 쉴 새 없이 반짝거리고, 집 외벽을 큰 알전구를 둘러놓으면 꼭 동화 속 한 장면 같다. 낮에 비축한 태양광으로 빛을 내는 바닥 조명을 한 집도 멋졌다. 우리 집도 영감을 받아서 마당

겨울 데코에 나섰다. 작년에 현관에 걸어 놓은 전나무 리스는 1년 새 전부 말라버렸다. 빨갛게 불타고 있는 남천 열매를 추가해서 생기를 살렸다. 주차장 앞 웰컴 화분이 있는데, 처음에는 칸나 꽃이 피다가 노란 잎을 내며 죽어가서 티트리 나무로 바꿨다. 호주 식물들은 월동을 못 한다고 해서 티트리도 실내로 옮겨야 했다. 이렇게 성장이 너무 왕성하거나 계절을 타는 식물은 주차장을 지키는 식물로 적합하지 않았다. 식물을 겨울 식물인 동백나무로 바꿀까 하다가 이것도 언젠가는 손이 갈 것 같아서 아예 상록 침엽수종인 블루 아이스와 문그로우를 우리 집 보초 식물로 정했다. 일 년 내내 한결같은 초록으로 우리 주차장을 지키는 역할로 임명됐다.

드러난 밤의 얼굴

겨울맞이 대망의 이벤트는 2층 데크 난간에 알전구를 설치한 것이다. 원래 우리 집은 밤이면 외부 조명을 잘 켜지 않아서 사람이 드나들 때 센서 등이 켜질 때 말고는 집이 잘 보이지 않았다. 그 점이 늘 아쉬워서 올해는 꾸며보기로 했다. 전기 작업은 부담스러워서 자동으로 켜고 꺼지는 태양열 전구 방식으로 하기로 했다. 설치 장소는 남향으로 빛이 잘 들었다. 춥고 깜깜한 겨울밤에 아들과 아무것도 보이지 않는 2층 데크에 나가서 난간 길이를 재고, 태양열 전구를 검색해서 하나를 골라 주문을 하고 택배를 받았다. 손 빠른 남편의 도움으로 전구를 난간에 감아 잘 고정하고 밤을 기다렸다. 어둠이 깔리고 조명이 켜지자 우리 집의 밤의 얼굴이 드러났다. 밤의 고요함 속에 돋보이는 불빛은 마치 집 안의 따스한 이야기가 흘러나오는 모습인 듯했다. 낮에는 태양광을 저장했다가 어두워지면 자동으로 켜지고 전력이 떨어지면 알아서 꺼진다. 게으른 나에게 딱 알맞은 방식으로 겨울밤의 낭만을 즐길 수 있었다. 가을과 겨울 사이, 많은 생명이 잠들고 숨죽이는 시기이지만 이런 따뜻한 이벤트와 함께 라면 이 겨울이 더 의미 있어질 것 같다.

끼인 땅의 대반전

내가 사는 마을은 단독주택지로 이루어진 마을이다. 단독주택 단지를 만들기 위해 개발이 되고 분양이 되었기 때문에 네모반듯하게 도로가 나 있고, 수도와 배관이 모두 매립되어 있다. 같은 마을이지만 땅의 입지가 조금씩 다르다. 우리는 이 마을에서 살기로 하고 매물로 나온 땅들을 모두 둘러보았다. 마을이 생긴 지 이제 10년이 넘었기에 이미 많은 땅에 집이 들어서 있어서 선택지가 많지 않았다. 마을 외곽의 큰 도로에 인접한 땅, 도로가 반만 인접하고 나머지 삼면이 폭 쌓인 땅 등 딱 봐도 안 되겠다 싶은 느낌이 드는 땅이 많았다. 그 뒤 새로운 땅이 매물로 나왔다는 것을 알고 보러 갔을 때 사실 여기도 100% 마음에 들지는 않았다. 왜냐면 우리 집이 지어진 땅은 도로가 북쪽에 인접했고, 앞과 양옆으로 집으로 둘러쌓인 끼인 땅이었다.

집은 보통 남향으로 짓는데 도로가 북쪽에 접해있고 남쪽은 집으로 막혀있었다. 이 점이 마음에 안 들었지만, 그것 빼고는 마음에 들고 가격도 맞았기에 우리는 이 땅을 사서 집을 지었다. 집은 남향으로 짓고 출입구를 집의 옆쪽에 내서 집으로 드나들게 되었다. 우리 집의 앞 모습은 집의 앞과 옆이 막혀서 지나다니는 사람은 집의 앞 모습을 도무지 볼 수 없는 폭 쌓인 형태의 집이 되었다.

다른 집의 이야기를 들어보면 어느 입지든 장점과 단점은 있었다. 큰 도로에 인접할수록 소음이 심하다. 수시로 차 지나다니는 소리가 상상 이상으로 시끄럽다고 한다. 층간소음을 피해 온 주택에서 차량

소음을 듣는다면 얼마나 불편할까. 끼인 땅이지만 큰 도로와는 멀어서 소음이 적은 것에 감사하다. 또 도로에 인접한 면이 많을수록 외부로부터 지나가는 사람들의 시선을 많이 받고, 겨울에 지나가는 차가 미끄러져 담장을 들이박는 것 같은 지나가는 차로부터의 영향을 많이 받았다. 우리 집은 도로 인접 면이 하나라 이사할 때는 사다리 놓기가 불편했고 주차도 녹록지 않지만, 그런 외부 차량이 와서 문제를 일으키는 일은 없었다.

도로가 북쪽에 있는 땅에 지어진 우리 집

그리고 살아보니 이런 입지의 가장 큰 장점은 마당이 외부와 완벽히 차단된 환경이라는 점이다. 마당이 이런 장점 때문에 1층에 사시는 어머니는 자주 1층 데크에 나와서 다리를 편안하게 올려놓고 밖을 쳐다보면서 힐링을 하셨다.

집들이 둘러싼 집

그리고 우리 집의 입지와 반대라고 볼 수 있는 남쪽으로 도로가 인접한 땅은 지나다니는 사람들의 영향을 크게 받고 있었다. 나는 집의 얼굴이 크게 잘 보이고, 현관이 볕이 잘 드는 남쪽을 향하고 있어서 단점이 없는 완벽한 입지라고 생각했다. 하지만 이런 입지의 제일 큰 맹점은 남쪽 방향에 지나다니는 사람들의 시선이나 침범에 대비하는 것이다. 시선을 차단할 담장을 치거나, 키 큰 나무가 필수였다. 그렇다고 담장을 콘크리트로 둘러 버리면 집 안에 갇힌 것처럼 답답할테고, 개방할수록 마주쳐야 할 테니 그 미묘한 중간 점을 찾기가 쉽지 않아 보였다. 정 안되면 밤이고 낮이고 블라인드를 내려야 하는 것이 개방형 남쪽에 도로를 인접한 집들의 공통적인 모습이었다.

주택은 저층이라는 특수성 때문에 크게는 방범, 작게는 사생활 보호가 꼭 필요했다. 아파트에 고층에 살 때 누리던 뻥 뚫리는 뷰와 안전함에 비교하여 주택에서 감당해야 할 부분이었다. 처음에는 이렇게 사람 간에 경계를 확실히 나누고 시선 마주침을 마주치는 것을 피한다는 것에 대해서 너무 정 없는 것 아닌가 했다. 하지만 내밀하고 개인적인 공간에서 타인의 존재를 의식해야 한다는 것이 더 불편하다는 것을 인정할 수 밖에 없었다. 내 집에서 편하게 있고 싶은데 불특정 다수의 사람이 자꾸 지나다니며 눈이 마주친다면 나라면 스트레스를 많이 받았을 것 같았다. 서로 마주치려는 생각이 없을 때는 우연이라도 마주치지 않게 하는 것이 일종의 서로를 향한 배려라고 생각했다.

끼인 땅이라 큰 걱정은 덜었지만, 우리 집은 차선으로 식물을 이용한 담장을 활용하고 있다. 양옆 집 사이에 울타리목으로 홍가시나무와 황금사철나무를 심었다. 단점은 아직 키가 작고 정말 천천히 자라서 시선 차단의 효과를 얻으려면 긴 시간이 걸린다는 점이다. 그래서 앞집과의 경계에는 키가 빨리 크는 식물을 배치해 보려고 했다. 칸나와 파초를 심어서 초록 벽으로 비밀의 정원의 느낌을 낼 것이다. 행복한 주택 살이를 위하여 경계에 대한 고민이 꼭 필요하다.

계단이 있는 집

우리 집은 2층 건물에 다락이 있는 단독주택으로, 현관을 열면 1층부터 다락까지 연결하는 계단이 있다. 아파트에 살 적에 계단은 집 외부에 위치하여 공용 공간의 역할을 했다. 가끔 엘리베이터가 고장 났을 때 이용했고, 미세먼지가 심한 날의 운동을 도와주기도 했다. 커다란 자전거가 주로 매여있었고, 인기척이 느껴지면 흠칫 놀랐던 기억이 있다. 주택에서의 계단은 실내 공간으로서도 큰 역할을 한다. 건축가들이 쓴 책을 읽어보면 많은 건축가가 계단에 매력을 느끼는 것을 볼 수 있었다. 계단을 더 넓게, 더 중앙으로, 계단에서 더 많은 일을 할 수 있도록 배치하는 집도 있었다. 우리 집은 아파트 2채를 위아래로 붙여 놓은 구조를 추구하였기에 계단을 현관과 연결되게 한쪽 구석으로 빼놓았다. 그리고 2층에서 다락으로 올라가는 계단은 1층 계단 반대편에서 간이 계단 형식으로 올라가게끔 구상을 했다. 하지만 건축사를 만난 뒤 계단 위치가 수정되어 1층에서 2층, 다락까지 이어지게끔 설계가 바뀌었다. 우리가 구상한 초안에서 가장 크게 수정된 부분이 이 부분이다. 2층에서 다락으로 가는 계단 공간을 확보하기 위해 아들 방과 안방의 위치가 바뀌고, 아들 방의 크기가 조금 커졌다. 2층에서 다락으로 올라가는 통로가 옹색함에서 번듯함으로 업그레이드된 것이다.

계단의 위치는 확보되었고, 외기를 차단하기 위해 중문 설치를 계획하였다. 외기가 실내로 들어오지 않게 하고, 1층과의 공간 분리를 원했던 우리는 2층 계단에 3연동 좌우 개패 중문을 설치하기로 했다. 남편은 집을 짓는 과정을 책으로 엮었는데, 책에서 보니 이 과정에서 남편이 '2층에 중문을 설치하는데, 1층에서 2층을 지나 다락으로 올라가려면 중문을 두 번 연속으로 열어야 하는 것이 불편할 것 같아 신경이 쓰였다'라고 적어놓았다. 설계 당시에는 이런 고민을 했던 모양이다. 하지만 이사 오던 날, 아들은 중문을 두 번 열지 않고, 중문 뒤의 빈 공간을 통해 쏙하고 다락으로 올라가며 나름의 해법을 찾아냈다.

중문과 중문 뒤 틈새

계단은 우리에게 선물을 주었다. 계단 공사가 한창일 때 1층에 계단 밑 빈 공간이 그대로 막아버리기에는 아깝다는 생각이 들었다. 그래서 건축사에게 요청하여 1층 계단 밑 공간을 창고로 만들 수 없는지 물어보았다. 그러자 계단 밑에 전등과 문을 달아주었다. 1층에 보너스 창고가 생긴 것이다. 마치 해리포터에 나오는 공간 같은 여기는 현관 옆이다 보니 무거운 물건을 나를 때 쓰는 손수레와 안 쓰는 큰 짐을 넣어서 요긴하게 쓰고 있다. 계단 밑이라 천장이 점점 낮아지니, 창고 깊숙하게 들어갈 때는 머리 조심을 단단히 해야 하지만 말이다.

영화 '해리포터' 같은 공간

이사를 오고 난 뒤 계단은 과연 특별한 역할을 하고 있다. 계단을 제일 좋아하는 사람은 초등학생 아들이다. 아들은 이사와서 제일 좋은 점은 계단과 다락이라고 한다. 일단 계단을 올라갈 때 두 발이 아닌 '네 발 걷기'로 기어 올라가기도 하고, 계단 난간을 잡고 매달려 있는 것도 좋아한다. 어느 날은 그냥 계단에 앉아서 한 칸 위에 패드를 놓고 만화를 보기도 한다. 평평하지 않은 특별함이 놀이터처럼 느껴지나 보다.

또 하나의 공간이 된 계단

인테리어 감각이 있는 남편은 계단을 특별하게 꾸몄다. 우리 가족이 세계여행을 특별히 좋아해서 여행을 하며 찍었던 사진들을 액자에 넣어서 계단 벽에 붙였다. 계단 아래에서 올라갈수록 여행 초창기에서 최근까지 시간순이었다. 계단을 오르내리며 자연스레 눈이 더 가고 여행의 추억을 떠올릴 수가 있었다. 계단 바닥에는 여느 레스토랑처럼 와인병을 주르륵 놓아서 분위기를 냈다. 나는 계단이 1층과 2층 세대가 같이 또 따로 나뉜 우리 집의 위 아랫집을 효과적으로 나눠주는 점이 좋다. 나에게 계단은 집과 집 사이 중간 어딘가의 느낌으로 마음에 묘한 휴식을 주기도 한다. 계단이 주는 연결과 소통에서 많은 건축가가 매력을 느끼지 않았나 싶었다.

복불복 나무 뽑기

단독주택에는 조경이 필수이다. 최소 면적과 심어야 하는 교목과 관목의 수량이 있다. 우리의 1회 차 조경은 전적으로 건축사의 손에서 이루어졌다. 집 외부와 내부도 할 일이 산적했기 때문에 마당의 나무까지 욕심낼 처지가 못 되었다. 건축사는 적당한 비용에 적당한 나무를 골라 예쁘게 심어 주었다. 이사를 오고 몇 달 뒤 정신을 차리고 보니 그제야 마당의 나무들도 눈에 들어오기 시작했다. 완공에는 큰 문제가 없었는데, 배롱나무가 어째 이리 삐치고 저리 삐친 모양새를 하고 있어 참 눈에 거슬렸다. 왠지 마당을 쓰는 빗자루가 생각나는 수형이다. 때가 되어 분홍색 꽃이 많이 피었으나, 외모가 못내 아쉬웠다.

배롱나무의 첫 개화

그 외에 나무 사이사이 심어진 철쭉의 경우 다른 식물이 추가되면서 한쪽으로 위치를 옮겼다. 그렇게 1년 차 조경으로 잘 지내던 중 미산딸나무가 1년을 지나지 못하고 죽었다. 죽은 나무는 잎이 자라나지 않고, 가지가 갈라졌다. 마른 나무 줄기는 한동안 오이 지지대로 쓰다가 오이가 다 마르고 잘려 나갔다. 나무 밑동에서 새 가지가 하나 올라오길래 기다려 보았지만 결국 다 죽었다. 밑동을 뽑아내는 날, 죽은 나무라지만 뿌리가 생각보다 깊었다. 나무 주위를 빙 둘러 가며 삽질을 한참 하고 삽을 꽂아 지렛대 삼아 한참을 누르자 전체가 밖으로 드러났다. 예상대로 잔뿌리는 별로 없었다. 그리고 나무뿌리를 빙 둘러서 실려 온 붉은 흙과 흙을 묶는 천까지 그대로 땅속에서 나왔다. 붉은 흙색으로 우리 마당 색과 많이 차이가 났는데, 우리 땅과 결국 융화되지 못한 나무의 운명을 보는 것 같았다. 거대한 나무뿌리는 결국 우리 마당 캠핑 땔감이 되었다.

좋은 지지대가 된 미산딸나무

또 마당에 잣나무 3그루가 있는데, 제일 오른쪽 잣나무가 잎이 노란색으로 변하더니 나무 전체가 노랗게 변했다. 옆의 다른 잣나무 2그루는 괜찮은 데 하나만 말라 죽었다. 이 잣나무 또한 겨울이 되어 뽑아냈다. 집 뒤편 좁은 화단에 심어진 회양목도 절반 정도 죽었다. 길에서 매연 먹고사는 회양목도 잘만 자라던데 우리 집 회양목은 물도 잘 줬는데, 잎이 노랗게 변하고 뿌리가 말라서 뽑으면 바로 뽑혀 버리다니 황당할 노릇이었지만 땅과 식물의 궁합이 좋지 않았음을 탓할 수밖에 별도리가 없었다. 아파트 살 때는 몰랐는데, 주택에 사니 길을 걸어도 다른 게 눈에 들어온다. 다른 이웃의 말로는 이사 1년 차에 나무가 많이 죽는다고 하여 죽어 나간 1회 차 조경의 식물들에 대해 조금은 위안이 되었다.

다시 심은 회양목

이제 이사 온 지 2년 차 되는 봄이 되어, 2회 차 조경이 시작되었다. 나무 두 그루가 사라지고 빈자리에 어떤 나무를 심을까 고민이 되었다. 주변 주택을 살펴보니 많이 심는 나무는 소나무 같은 침엽수였다. 제일 잘 보이는 곳에 제일 멋들어진 소나무가 있었다. 나도 자꾸 보다 보니 소나무의 매력을 알게 되었다. 꽃 중에는 장미라면 나무 중에는 소나무가 있었다. 낙엽이 없고, 사시사철 푸른 위용이 있으며, 인자한 아름다움이 곧 부를 상징하기도 한다. 낙엽이 없어서 편하고, 사시사철 초록을 볼 수 있다. 하지만 100평 정도의 대지에 앞, 뒤, 양옆으로 집들이 빼곡히 쌓인 도심 주택지에서 큰 나무는 부담스러웠다.

반면 어머니는 꾸준히 과실수를 원하셨고, 이사 왔을 때 미니 사과나무를 한 그루 심으셨다. 사과나무는 첫해부터 꽃을 피우고 열매를 맺어 귀여운 사과 몇 개를 우리에게 내줬다. 이번에는 나무가 뽑힌 빈자리에 석류나무를 심고 싶어 하셨다. 우리 집으로 들어가는 골목 어귀에 있는 다른 집 마당에 석류나무가 있는데, 가을에 석류가 주렁주렁 달린 모습이 참 탐스러워 보였다. 어머니는 어느 봄날 친구와 나무 시장에 갔다가 벼르던 석류나무 1주를 사 오셨다. 아직 어린 나무라서 가지도 잎도 보잘것없지만 잘 자라 예쁜 석류를 주렁주렁 달아준다면 더 바랄 게 없을 것 같았다. 석류나무는 우리 마당 잣나무가 뽑힌 자리에 심겼다. 이번 뽑기는 잘 되었기를 바라본다.

귀여운 미니 사과 열매

꽃이나 씨앗은 막 샀는데, 나무는 결정하기가 쉽지 않았다. 마치 장롱 고르듯이 골라야 한다. 일단 크기도 크고 옮기기도 어렵고 오래 봐야 하기 때문이다. 그래서 잘 키우면 그 집의 시그니처같은 존재가 되기도 한다. 그래서 혹시 미래에 단독 주택에서 살고 싶은 사람이라면 내 집에 어울리는 나무는 무엇일지 미리 정해 보아도 좋겠다.

주택의 겨울

주택의 겨울은 고요함이다. 첫 서리가 내리자 땅과 식물은 얼어붙었고 나무는 앙상한 가지만 남았다. 차가운 바람에 잔디는 초록에서 갈색으로 건조하게 굳어있다. 눈이 내리면 아이들은 신이 나서 밖으로 나가고 빨간 남천 열매에도, 골목에 세워둔 차에도 눈이 소복히 쌓인다.

고요한 밤이 오면 다락에서 들려오는 캐롤을 들으며 가족끼리 모여 영화를 본다. 가끔 손님을 초대하여 한해를 정리하며 마당에서 불멍을 한다. 다정한 이야기로 마음의 온기를 나누고, 손에는 장작의 온기를 더한다. 어둠 속에 마당 알전구가 켜지면 겨울 밤 주택의 풍경은 동화 속 한 장면이 되고 이상하게 한겨울이 춥지 않다.

내 집에서 캠핑하기

우리는 여행을 즐기는 가족이었다. 결혼 초창기에는 3박 4일씩 우리나라 권역별로 여행을 했고, 웬만한 곳은 다 돌게 되었다. 그 후에는 차박 캠핑에 빠져 주말에 산과 바다를 배경 삼아 하루 이틀 자고 왔다. 반복되는 월화수목금에서 벗어나 자연을 온몸으로 느끼며 다시 일상으로 돌아갈 힘을 얻곤 했다. 하지만 이사를 온 이후로 웬일인지 여행이 줄었다. 대신 우리는 집으로 여행을 떠나고 있다. 다락에서 요를 깔고 자면 텐트 못지 않은 하룻밤을 보낼 수 있고, 마당에서 화롯불을 태워 불멍을 하면 캠핑 온 기분이다. 가끔은 2층 데크에서 바람을 맞으며 삼겹살을 구워 먹기도 한다. 신기하게도 차를 타고 멀리 가지도 않아도 내 집 앞에서 충분히 캠핑의 정취가 느껴졌다.

순식간에 펜션이 된 집

내 집에서 캠핑하기 첫 번째는 데크에서 식사이다. 우리는 원래 저녁을 신경 써서 맛있게 먹는 가족인데 가끔 날을 정해서 데크에 나가 삼겹살을 구워 먹었다. 먼저 테이블과 의자를 데크로 꺼내고, 식기 도구는 약간 간소하게 준비해서 대접에 담아 데크로 나간다. 남편이 곁에서 고기를 구워 전달해주면, 굽는 연기는 다 밖으로 날아가고, 식구들은 바로 바삭한 삼겹살을 먹는다. 저녁 시간이라 따가운 햇볕도 없고, 집에서 입는 편안한 차림으로 우리는 야외에서 밥을 먹고 있다. 우리의 뒤로는 노을이 지고, 머리 위 거대한 하늘 아래 선선한 바람을 느끼면 평범한 집밥도 왠지 특별하게 느껴졌다. 이렇게 밥을 먹으면 후식으로 라면이랑 과자까지 안 먹을 수가 없다. 이제 어둑해진 깜깜한 밤에 패드를 가져와서 영화를 틀고 다 같이 본다. 2층 데크에서의 식사의 최대 장점은 평일에도 할 수 있다는 점이다. 언제든 마음의 여유만 낸다면 출근하고 집에 돌아온 날에도 펜션으로 여행 떠나온 기분을 낼 수 있다.

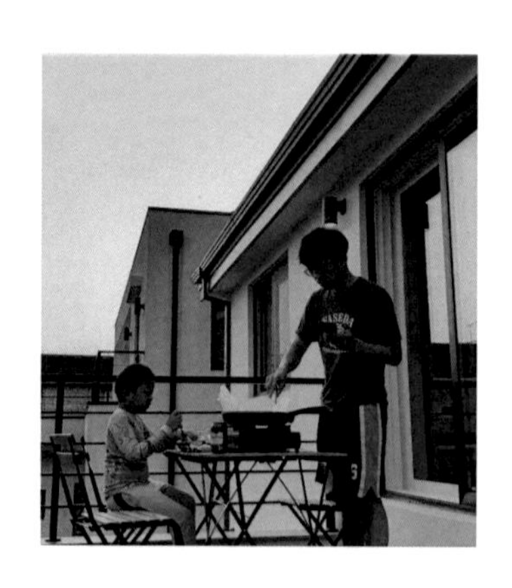

야외에서 저녁 식사

내 집에서 캠핑하기 두 번째는 마당에서 불멍이다. 마당 불멍은 가을 초입에 화로를 사면서 시작했다. 마당 잔디 위에서 화로를 꺼내 놓고, 땔감을 넣고 불을 붙힌 뒤, 캠핑 의자에 앉아 불을 쬔다. 간식이 꼭 있어야 하는데, 근처 마트에서 마감 세일로 저렴해진 초밥이나 치킨을 사와서 컵라면과 함께 먹는다. 까만 밤 춤추는 불빛을 보면 저절로 머리가 비워지며 근심 걱정을 잊고, 주변 공기는 쌀쌀하지만 두 손 두 발은 뜨거운 열기 앞에서 따뜻하다. 심지어 눈이 오고 있어도 불을 켜면 따뜻해서 눈 맞으면서도 불멍을 할 만하다. 괜히 맥주 캔을 눈에 꽂아서 냉장고처럼 시원하게 한다. 초등학생 아들은 불장난을 원 없이 할 수 있게 되어 놀아달라고 하지도 않고 신나게 불놀이에 열중했다.

여기는 교외는 아니고 이웃집이 붙어 있는 구조이기 때문에, 처음에는 네모난 화로에 불을 피우면 희뿌연 연기나 매캐한 냄새 때문에 주변 이웃들에게 피해가 갈까봐 신경이 많이 쓰였다. 하지만 날이 추워질수록 문을 안 여니 걱정이 사라졌다. 그리고 불멍을 오랜 시간 즐기려면 땔감이 많이 필요했다. 처음에 우리는 잘려 나온 일반 나뭇가지들을 재활용했다. 전지한 나뭇가지, 떨어진 솔방울을 주워다가 불을 피우기도 했다. 이렇게 하면 다 좋은데 처음에 잘 말리지 않으면 땔감이 마르지 않아서 불을 피울 때 연기가 많이 나고 나무가 두껍지 않아서 금방 불이 꺼졌다. 그래서 장작을 주문해서 썼더니, 한 번 피우면 오래가고 연기도 일절 나지 않아서 불피우기 담당 남편의 쉴 틈 없었던 손이 많이 편해졌다.

불멍에 회 한 점

내 집에서 캠핑하기 마지막은 다락 캠핑이다. 우리 집 다락은 보통 다락과는 다르게 층고가 높아 흡사 3층이라는 느낌을 줬다. 게다가 셋이 누워서 자기에도 충분히 넓다. 그래서 날씨가 너무 덥지도 춥지도 않으면 다락에서 2박 3일 자는 이벤트를 준비한다. 평소엔 아들의 레고 작품과 보드게임으로 가득하지만, 물건을 잘 치우면 침낭을 깔 수 있다. 좁은 차 안에서 끼워 잤던 차박과는 달리 모두에게 넉넉한 공간을 즐기며 잘 수 있기에 부담스럽지 않다. 냄새나는 공동화장실이 아닌 아늑한 우리 집 화장실에서 깨끗이 씻고, 평소에 쓰던 이불과 배게 몇 가지를 챙겨서 다락으로 올라가면 호텔 못지않게 편안했다. 자기 전에 심심하면 가족 보드게임을 하거나, 다락 흰 벽에 프로젝터를 화면을 쏘아서 대형 스크린으로 영화를 보기도 한다.

차박을 하다 보면 밤 중에 비가 올 때가 있었다. 내 몸 바로 위로 떨어지는 것 같은 세찬 빗소리를 들으며 자면 더 특별한 꿈을 꾸는 것 같았다. 비가 세차면 세찰수록 차 지붕을 두드리는 소리를 듣는 것이 좋았고, 자연 안에서 자는 것 같은 그 느낌이 차박의 매력이라고 생각했다. 그런데 다락에서 잘 때도 지붕을 때리는 빗소리를 가까이 들을 수 있다. 우리 집 층고 높은 다락은 거대한 텐트 같은 역할을 해주었다. 다락에서 함께 자며 밤새 굴러다니는 아들을 힘겹게 막은 것과 이불을 뺏고 뺏기며 밤에 몇 번씩 깬 것도 아침에 일어나면 다락 캠핑의 추억이 된다.

오늘의 캠핑 장소

내 집에서 캠핑이 가능했던 건 집에 외부 공간이 있고 내부 공간과 가깝기 때문이다. 외부와 내부가 멀지 않으니 안과 밖을 오가다 보면 자연스레 일상에 캠핑의 정취가 스며들었다. 땔감을 구하느라 나뭇가지들을 주워서 끌고 다닐 때나 하늘, 바람, 불같은 자연을 원 없이 느낄 때 나는 왠지 원시인이 된 것 같으면서도 묘한 편안함을 느낀다. 그건 우리가 긴 시간 동안 전국 각지와 산과 바다를 찾아다니며 느꼈던 감성이었다. 우리 집 앞에서 계절과 호흡하며 철마다 다른 여행을 떠날 수 있다. 자연 감성을 좋아하는 나에게 우리 집은 단골 캠핑장이자 나에게 잘 맞는 여행지이다.

층간소음 없는 집에 산다

아파트에 살던 시절 어느 토요일 아침이었다. 외출하려고 현관문을 열었더니 낯선 쪽지가 붙어 있었다. 장문의 쪽지를 쓴 사람은 아랫집아저씨였다. 내용은 우리 집에서 쿵쾅거리는 소리를 내서 아래층에서 밤에 잠자기가 힘들다는 내용이었다. 경고 전화 한번 받은 적이 없어서 이런 상황인 줄 몰랐는데, 씁쓸한 마음이 들었다. 아이가 하나 있기에 바닥에 대형 매트도 진작에 깔았고, 놀아도 침대 위에서만 놀고 밤에는 아예 못 뛰게 했는데, 아래층에서 시끄러워서 잠을 못 잔다고 편지를 보낼 지경이라니 노력이 허무하기도 했다. 미안하다고 연락을 하고 선물과 함께 조심할 것을 약속하고 지냈으나, 그 이웃은 나중에 이사를 갔다. 그 다음 이웃은 아들 둘을 키우는 집이었는데 2년간 아무런 말이 없이 살다가 이사를 갔고, 그다음 이웃은 우리 집으로 가끔씩 전화를 했다. 그래서 아이가 조금이라도 뛰는 것 같으면 아이를 단속해야만 했다. 언제 올지 모르는 층간소음 민원은 아파트 생활의 기본 옵션이었다.

층간소음을 내는 입장뿐 아니라 듣는 입장에도 처해보았다. 화장실에서는 들려오는 윗집 아기 우는 소리가 들려왔고, 아침 동틀 무렵이면 아무도 끄지 않는 진동 알람 소리까지 매일 들어야 했다. 그래도 아이를 키우는 입장이라 한 번도 전화를 해본 적은 없었다. 당연히 생활 중에는 소리가 나고 잘못된 것은 하나도 없지만, 너무 늦거나 너무 이른 시간에, 반복적으로 들어야 할 때는 짜증이 너무 났다. 윗집 아랫집 눈치를 보며 살아야 하는 게 공동주택의 숙명이었다. 요즘 아파트 살이가 다 그렇지 하면서 체념하기도 했다. 이렇게 스트레스의 일상화가 될 무렵 주택으로 이사를 가게 되었고, 층간소음에서 해방되었다.

이사를 오고 나서 아이에게 제일 먼저 한 말은 "마음껏 뛰어!"였다. 아이는 기다렸다는 듯이 계단을 오르내리느라 다음날 다리에 근육통이 생겼다. 그리고 새집에서 숨바꼭질을 하며 새로운 숨을 자리를 발견하고 밤이고 낮이고 마음껏 뛰어다녔다. 바닥에서 구르고 뛰어다녀도 전혀 스트레스가 없다. 공을 꺼내서 마음껏 바닥에 튕기며 주고 받아도 되고, 줄넘기를 꺼내서 거실에서 줄넘기를 해도 된다. 쿵쾅거리며 레슬링을 해도 즐겁기만 했다. 어른인 나도 왠지 모르게 털썩거리며 걷고 싶어진다. 예전엔 아이가 뛰거나 조금이라도 크게 행동을 하려고 하면 스트레스를 받았는데, 이제 부드러운 눈빛으로 아이의 모습을 보게 되었다. 예전에 침대 위에서 눈치보며 놀았던 모습들이 떠오르며 더 어릴 때 이사를 왔으면 좋았을 걸하는 마음도 절로 들었다. 주택은 아이에게 마음껏 움직일 수 있는 자유를 줬다.

놀이터가 된 집안

층간소음에서 해방되어 또 하나 좋은 점은 운동이 가능하다는 점이다. 날씨가 좋으면 밖에서도 할 수 있지만 너무 춥거나 더운 시기에는 집으로 들어온다. 더운 여름에는 시원한 다락에 매트 한 장만 깔고 유튜브 요가 선생님을 모셨다. 날이 추워진 요새는 집 안에서 줄넘기를 시작했다. 집에서 운동을 하니 어디 오가는 시간도 줄고, 가족들은 영화를 볼 때 혼자 옆에서 조용히 운동을 하면 '따로 또 같이'를 실천할 수 있다는 장점이 크다. 도저히 운동을 피할 있는 핑계가 없자 작심삼일을 반복하던 운동이 웬일로 꾸준히 이어지고 있다.

그렇다고 우리 집 주변이 절간처럼 고요한 것은 아니다. 우리 집은 도심에 있는 주택이라 옆집과 가까운 편이고 앞뒤로 다른 주택이 많다. 그래서 마당에 나가면 피아노 연습하는 소리, 청소기 돌리는 소리, 집 안에서 싸우거나 부르는 소리 같은 게 들리기도 한다. 마당에 나가거나 창문을 열어 놓으면 잘 들린다. 아파트는 위아래, 주택은 옆으로 소리가 퍼진다는 게 맞는 말 같았다. 집안에서도 2층의 발걸음 소리가 1층에 들렸다. 1층에 사는 시어머니는 2층에서 나는 발소리를 듣고 "일어났구나", "뭘 하는구나" 하고 아신다고 한다. 아무리 그래도 얼굴도 모르는 이웃에게 조심해 달라는 전화를 받던 아파트 시절과는 비교할 수 없이 자유롭다.

요가하기 좋은 다락

우리 집은 평소 라디오를 켜놓고 생활한다. 음악이나 라디오 소리가 배경으로 존재하는 것이 익숙하다. 결혼하고 나서 집에는 항상 음악이 흘러야 한다는 남편의 추천으로 클래식 FM을 듣게 되었다. 광고가 없고 항상 음악 소리가 나와서 매일 켜놓기 좋았다. 이사 오고 나서 우리는 습관적으로 라디오를 2층 거실에 설치했다. 2층은 방이 있는 생활 공간이고 3층은 다락이다. 다락과 2층을 서로 뚫려있다.

그런데 남편이 라디오를 다락에 설치해보자는 아이디어를 냈다. 그래서 라디오를 다락으로 옮기고 틀었더니, 다락으로부터 2층을 향해 음악이 은은하게 울려 퍼졌다. 나는 음향에 민감한 사람은 아니지만 머리 위에서 들려오는 소리가 왠지 색다르게 들렸다. 어느 날은 구수한 국악 소리가, 어느 날은 정열의 탱고가, 어느 날은 깊은 첼로의 울림이 온 집안을 채웠다. 누군가가 끊임없이 보내주는 BGM이 나의 평범한 일상을 특별하게 만들어 줬다. 평면적인 삶에 익숙한 나는 새로운 공간인 '위'를 통해 또 다른 경험을 하게 되는 것 같았다. 위에서 누군가의 발소리 말고 빗소리나 아름다운 선율을 듣게 되니 이런 호사가 어디 있나 싶었다.

무난한 이웃

나는 무난한 이웃이 되고 싶었다. 내성적인 성격의 소유자로서 무난한 이웃이란 서로 불평불만이 나오지 않고 각자 즐겁게 살아가는 정도를 의미한다. 지나고 보니 주택의 이웃 관계도 아파트와 많이 비슷했다. 엘리베이터에서 마주칠 일은 없지만, 마당 일을 하거나 차를 오르내릴 때 마주칠 일이 종종 있다. 거기다 주택은 이사가 흔치 않기에 아파트보다는 이웃들을 오래 볼 것 같다는 생각이 들었다.

우리 집은 나중에 지어진 편이라 양옆, 앞, 뒤로 이미 집이 들어서 있는 상황이었다. 건축 공사가 시작하기 전인 8월에 시끄러운 공사 현장에 대한 양해를 구하고 인사도 할 겸해서 주변 네 집에 손편지와 작은 선물을 돌렸다. 이웃집의 현관 벨 앞에 서니 괜스레 떨렸던 기억이 있다. 벨이 울리고 공사하는 옆집이라고 소개를 하면 다들 나와서 인사를 받아주었고, 덕담과 간단한 소개를 나눌 수 있었다. 그렇게 공사를 하고 집이 지어져 이사 날이 되었다. 이사 오는 날에는 떡을 한 상자씩 돌렸다. 이사 온 지 1년이 되는 크리스마스에도 한 번 더 편지와 쿠키를 돌렸다. 1년 전처럼 짧지만 긍정적인 인사가 오갔다. 그동안 크게 교류하진 않았지만, 무언의 영향을 주고받을 수밖에 없는 것이 이웃일 테니 그래도 1년간 서로 무난한 이웃이었음을 확인할 수 있었다.

크리스마스 리스로 장식한 현관

밤에는 불멍도 조용히

하지만 이웃들 간에 자칫 불편해질 만한 일도 당연히 있었는데, 주차 문제가 있었다. 아파트 살던 시절에도 한 세대당 자동차를 보통 2대 이상 주차하거나 외부인이 주차를 하기도 해서 주차 공간이 부족한 적이 있었다. 주택도 비슷한 문제를 가지고 있다. 단독주택이라 그렇게 세대원이 많지는 않겠지만, 시골처럼 주차 공간이 무한정 여유롭지는 않아서 길가의 주차 공간이 부족하거나 주차하기가 힘들어질 때가 있었다. 집 앞 도로가 자기 땅인 것처럼 주차 금지를 시키는 모습은 눈살을 찌푸리게 했다.

가끔 소음을 일으키는 집도 있었다. 밤 10시, 11시 넘어서 마당에 밝게 불을 켜 놓고 고기를 구우며 많은 사람과 시끄러운 파티를 여는 집, 여름밤 창문을 열어 놓고 락 발라드를 열창을 하던 집이 있었다. 그게 한두 번이어도 그 기억이 꽤 오래갔다. 그러려니 하면서 넘어가지만 인상이 남을 수밖에 없었다. 아파트와는 달리 층간소음은 없어도 집간 소음이 있을 수 있기 때문에 밤에 외부에서 시끄러운 것은 주의해야 했다.

담배 연기 말고도 지켜야 할 공기 예절이 있다. 마당에서 무언가를 소각하는 냄새가 있다. 바비큐 냄새는 애교이고 주택의 낭만이라 생각하며 넘어가지만, 농업 폐기물이라던지 쓰레기 같은 것을 태울 때 나는 냄새가 참 고약했다. 바람에도 방향이 있어서 특정 집에서 나는 냄새가 자꾸 우리 집으로 넘어 들어왔는데, 몇 달간 참다가 결국

참을 수가 없어서 어쩔 수 없이 말씀을 드렸다. 그렇게 자꾸 무언가를 태우는 데는 이유가 있을 터인데, 그것을 못 하게 할 권리가 나에게 있나 하고 고민했지만, 누군가 불편해한다는 사실을 알려라도 드리고 싶어서 말씀을 드렸는데 감사하게도 모종의 이유가 있었지만 앞으로 자제하겠다고 배려해 주셨다.

이사 온 지 2년째가 되는 지금은 인사하는 단계에서 한 발자국 나아가 주변 이웃들에 대해 좀 더 알게 되었다. 각 집에 세네 명의 가족 구성원이 있어서 생활 반경이 비슷하다던지 해서 특히 가까워지는 사람들이 생기고 그들을 통해 서로를 간접적으로 알아가고 있다. 특히 가족마다 주로 마당 일을 하는 가족구성원이 정해져 있는데, 마당 일을 자주 하는 사람끼리는 특히 가까워지는 것 같다. 어머니는 마당 일을 하며 옆집 할머니와 나눈 옆집의 이야기를 전해주시기도 했다. 남편은 종교 생활을 통해서 마을의 다른 이웃을 알게 되었다. 나의 경우는 초등학교에 다니는 아이 때문에 같은 학년을 학부모 이웃을 알게 되어서 아이 등교길에 말벗이 되었다.

또 나는 같은 직장 동료인 이웃을 알게 되어서 직장에서도 마을에서도 더 가까워질 수 있었다. 매일 직장에서도 만나다 보니 친숙해졌고, 식재료를 자주 나눠 먹고 어느 날은 집 초대도 받았다. 서로 영향을 많이 주고받는 집끼리 소통이 잘 되니 더 든든한 이웃이 되었다. 마을 사람들끼리 데면데면한 것 같아도 어디에 어떤 사람이 사는지 같은 정보가 그렇게 재미있다. 그렇게 우리도 마을에 대해 알아가면서 어느덧 주변인에서 마을의 일원이 되어 녹아드는 것 같다. 아파트나 주택이나 생활 가까이서 알게 모르게 영향을 주고받는 사람들이 이웃이다. 주고받는 배려로 무장한 무난한 이웃이 이 시대에 진정한 이웃사촌은 아닐지 혼자 생각해 봤다.

주택의 손님맞이

주택에 사시는 지인 부부의 댁에 초대받아 다녀오게 되었다. 마당, 텃밭, 강아지 두 마리까지 기르며 은퇴한 노부부가 생활하고 계셨다. 이 집은 교외에 있는 주택으로 넓은 마당이 있고, 단층의 작은 방형태의 독채가 여러 개 있어서 꼭 별채처럼 쓰고 있는 집이었다. 그래서 두 분 모두 방과 방을 넘나들려면 꼭 바깥을 거쳐야 해서 항시 모자를 쓰고 계셨다. 초대받은 다른 사람들도 하나둘씩 선물을 들고 모여들었다. 따뜻한 가을 햇살이 잘 드는 잔디 마당의 야외 테이블에서 가마솥 김치찌개를 끓여 먹었다. 다른 손님들도 모두 공원으로 소풍을 나온 것 같다고 즐거워했다. 밥을 먹고 디저트와 손님들이 준비한 선물을 주고받으며 이야기를 나눴다.

자연 속 오픈된 공간이니 틈이 생기면 나는 마당의 꽃들과 텃밭을 구경하니 심심할 새가 없었다. 아들은 개를 데리고 놀았다. 양지바른 잔디 마당이 넓고, 마당에 앉을 자리가 있으니 집 안으로 안 들어가고 밖에서만 있어도 서너 시간의 만남을 하기에는 충분했다. 방 안까지 들어가 보지 않으니 초대한 입장에서도 부담이 적을 것 같았다. 사부님은 내년에 우리 집 마당에 심으라고 바나나 나무 하나를 주신다고 약속하셨다.

2층 데크의 손님 맞이

또 주택에 초대되어 다녀왔는데 같은 마을의 주택이었다. 사모님과 내가 특별한 인연이 있어서 초대되었다. 이 집은 도심에 있는 주택으로 응접실로 쓰는 썬룸을 가진 게 인상적인 집이었다. 나와 함께 초대된 손님들은 모두 썬룸에 앉아서 이야기를 나누며 저녁 식사로 사부님이 밖에서 바비큐로 구워주신 목살과 꼬치구이를 먹었다. 손님들이 썬룸에서 저녁을 먹을 동안 사부님과 중학생 아이들은 간단히 인사를 하시고 실내 부엌에서 따로 식사를 했다. 썬룸에는 벽난로를 틀어서 온도를 맞추고, 벽난로에 고구마를 구워 먹을 수 있었다. 밥을 다 먹은 뒤에는 와인을 한 잔씩 들고 정원으로 나가서 모닥불을 피웠다. 맑은 공기를 마시며 이야기를 하니 때 마침 알맞았다. 깔끔하게 가꿔진 잔디와 오래 키운 나무로 가득한 정원 가운데에서 불을 피우니 그렇게 춥지도 않고, 이야기를 나누기 좋았다. 집이 아니라 펜션에 놀러 온 것 같다는 평을 남기며 손님들은 연신 사진을 찍어 SNS에 올렸다.

두 분 다 주택 살이를 하신 지 십 년이 넘어가는 분들이었다. 다녀와보니 선뜻 집을 열어주신 데에는 나름의 비결이 있었다. 가족들의 생활 공간이 손님 초대 공간하고 어느 정도 분리가 되어 있고, 야외 공간을 십분 활용해서 손님들이 머물다 갈 수 있었다. 아파트에 살 때는 집에 손님을 초대하는 것이 썩 즐겁지 않았다. 일단 너무나 솔직하게 생활의 현장을 공개한다는 점이 제일 부담스러웠고, 그 당시는 아이가 더 어리고 집이 크지 않았기 때문이다. 요리를 해도 주방이 작아서 준비하고 치우는 데 시간이 많이 걸렸다. 자연히 여러 명의 손님을 초대하는 것은 꿈도 꿀 수 없었다. 하지만 주택으로 이사를 오니 집이 더 넓어지기도 했고, 손님들이 더 자주 오는 것 같다. 주택에 사는 사람이 별로 없어서 그런지 집을 궁금해하는 사람도 있고, 보통은 자기가 주택에서 살아보고 싶어서 구경을 하고 싶어 하기도 했다.

10명 정도 성당 동기들을 우리 집으로 초대하여 차를 마시기러 했다. 초대 날을 잡아놓고 각자 준비에 들어갔다. 남편은 집 안 실리콘 보수를 하고, 계단과 벽에 페인트를 군데군데 칠했다. 나도 정원에 죽은 식물을 뽑고, 예쁜 화분을 집 앞으로 빼놨다. 당일이 되자 거실에 잔 짐을 모두 치우고, 열명이 앉을 수 있는 테이블과 의자를 다락방에서 꺼내 놓았다. 나는 막판 화장실 청소와 함께 나눠 먹을 커피를 내리고 케이크를 몇 가지 사 왔다. 10명의 손님이 우리 집으로 오던 날, 일단 주차를 근처에 하도록 하고 우리 집을 안내했다. 먼저 마당을 간단히 돌아보았다. 한 겨울이라 오래 머물지는 못하고 집 안으로 들어왔다.

우리 집이 나름 'Journey Beyond'라는 이름을 가진 '여행을 위한 집'이기 때문에 우리가 지금껏 갔던 여행지에서 찍은 사진 액자가 계단에 쭉 걸려있다. 세계 각지의 여행지에서 찍은 사진이 있어서 특히 인기가 많았다. 이 계단을 걸어 올라 2층으로 가서 미리 꺼내 놓은 큰 테이블에 모두 앉았다. 밥은 밖에서 먹고 와서 집에서는 커피, 차와 케이크를 내서 먹었다. 이야기를 나누고 초대 선물도 주고받았다. 다 같은 종교이기 때문에, 다 같이 다락에 올라가서 남편이 꾸며놓은 기도방을 구경했다. 마당에서 고기는 못 구웠지만 단란한 모임의 장소가 되었던 것 같다.

손님 맞이

또 다른 손님 초대는 가족들이다. 우리 집은 어머니와 함께 3대가 사는 집이라서 명절에는 가족이 모여드는 큰 집 역할을 한다. 다행히 제사는 없지만 명절에 몇 끼는 내리 준비하게 된다. 주택으로 이사 오면서 명절 풍경도 많이 달라진 것 같다. 일단 주방을 'ㄷ자'형으로 설계해 조리 공간을 대폭 넓히고, 개수대를 2개로 늘려서 2명이 일할 수 있고, 식기세척기를 설치하여 설거지의 부담을 줄였다. 이렇게 환경이 좋아져서 그나마 명절이 손님 초대할 음식 준비를 하게 되었다. 식재료는 냉장고는 아래층, 위층에 다 있어서 나눠서 보관하면 된다. 남편이 대략적으로 끼니 계획을 짜면 거기에 따라 함께 재료 손질하고 요리해서 큰 상을 차려서 함께 먹는다. 다 먹고 나면 식기세척기 돌려놓고, 각자 공간에서 쉬다가 또 끼니때가 되면 같이 밥을 먹고 저녁에는 모여서 영화를 보기도 하면서 오랜만에 내려온 가족들과 함께 시간을 보낸다. 집이 위아래로 세대 분리가 된 집이라서 따로 또 같이 형태의 명절도 가능해졌다.

집이라는 공간은 가족의 공간이지만, 손님이 오는 것도 또 다른 공기를 느끼기 좋다. 초대에는 수고가 들지만 그 만남의 기쁨이 있기에 우리는 또 요리를 하고 초대하는 것 같다. 계절이 잘 맞으면 마당의 정취도 느낄 수 있는 주택으로 초대해 보시고 초대받아 보시는 건 어떨까. 손수 준비한 음식과 공간이야말로 그 사람과의 관계를 소중히 여긴다는 무언의 징표이기 때문이다.

명절에 함께

주택과 겨울

겨울이 왔다. 추운 날씨에 수도가 동파되지 않을까가 제일 큰 걱정이었다. 아파트에 살 때는 수도계량기에 크게 신경 쓴 적이 없었다. 이사 갈 때 수도 사용량을 체크하러 열어본 것이 처음이자 마지막 수도계량기와의 만남이었다. 주택으로 오니 수도 계량기가 밖으로 노출되어 있고 사용량도 많지 않다 보니 한겨울에 수도가 얼어서 터지거나 물이 안 나오게 된다면 얼마나 불편할지 불안한 상상이 뭉게뭉게 솟아났다. 한겨울에 집에 물이 안 나오는 불상사를 막기 위해 움직여야 했다.

미리 준비하는 성격인 남편이 수도 계량기에 헌 옷을 덮어주려고 수도 계량기 함을 열었더니, 계량기는 이미 보온재로 덮여 있는 일체형이었다. 그리고 그 위엔 옷이나 다른 것을 덮지 말라는 경고 스티커가 붙어 있었다. 2022년에 완공된 집이라 계량기를 덮어주던 시절은 옛말이 되었나 보다. 덮으면 안 된다니 별수 없이 돌아섰지만, 남편은 결국 계량기 함 위에다가 비닐을 덮고 스티로폼 박스로 막아 놓았다. 나는 다른 주택 이웃에게 지금껏 동파가 없었는지 물어보았다. 이웃은 10년 동안 아무런 문제 없이 살고 있다고 했다. 우리 집도 동파 피해는 없었는데, 마당에 있는 수도관에 끼워 놓은 호스 줄에 물이 얼어서 연결부가 터졌다. 겨우내 쓰지 않고 그냥 끼워진 채로 두었더니 안에 있던 물이 얼었나 보다. 마당에 물은 잘 나오지만 나중에 새로운 호스 줄을 끼워야 했다.

수도계량기 겨울 나기

동파된 마당 호스

날이 추워지자 난방을 시작했다. 아파트에서 위아래 집은 층간소음을 유발하기도 했지만, 서로의 집을 든든하게 데워주는 존재이기도 했다. 아파트에 살 때보다 평수가 커지고 1,2층 두 세대로 이루어진 주택이니 난방비가 대체 얼마나 나올지 가늠이 되지 않았다. 하지만 난방비가 아파트 살 때보다는 살짝 적게 나온다. 이유가 뭘까 생각해 보니 집을 지을 때 단열에 특별히 더 신경을 썼다. 그리고 애초에 건축법 상 단열 최소 기준치도 점점 높아지고 있다. 창호와 중문으로 철저히 외기를 차단해서 그런지 열 손실이 크지 않고 외풍도 적다. 또 보일러를 몇 시간에 한 번씩 알아서 작동되도록 맞춰 놓고, 집에서는 조금 쌀쌀하게 지낸다. 이처럼 주택이라고 아파트보다 더 비효율적이라기보다는 에너지를 절약할 수 있는 여지가 많다. 우리 집은 정부 지원으로 태양광 패널을 설치했기 때문에 전기비가 생각보다 적게 나오는게 다행이었다.

보일러 세팅 방법

가끔 눈이 펑펑 쏟아졌다. 부지런하고 발 빠른 남편은 일어나 눈이 쌓여 있으면 출근 준비를 빨리 마치고 골목으로 나가 눈삽으로 눈을 치운다. 집 앞 골목과 집 안 주차장까지 쌓인 눈을 다 밀어낸다. 군대에서 했던 일이라 뭔가 익숙해 보인다. 가끔 아들이 따라나서서 일손을 보탠다. 골목에 주차된 차 위에 쌓인 눈도 다 털어내고, 이웃집 차 위의 눈도 털어주는 센스를 발휘한다. 집 앞뒤로 눈 녹는 속도가 다른데, 남향 마당의 눈은 빨리 녹지만 집의 주 출입구는 북향이라 눈이 천천히 녹는데 사람이 자주 오간다. 이 북향 주 출입구에 지붕에서 내려 온 물통에서 떨어진 물이 만나서 바닥에 얼음이 낀 부분이 생겼다. 그 부분을 밟고 아들이 미끄러지기도 했다. 미끄러운 부분에는 남편이 박스를 덮어서 덜 미끄럽도록 조치를 해놓았다. 이것 또한 눈이 오는 날에 살펴봐야 할 부분이었다.

마당에도 겨울이 왔다. 잔디는 가을이 오자 알아서 노란빛으로 시들어 갔고, 나무들도 모두 이파리를 떨구고 가지만 남았다. 텃밭과 화단의 죽은 식물들을 모두 뽑아서 정리했다. 마당은 12월부터는 황량한 모습을 하고 있다. 텅텅 빈 땅에 흙을 일궜다. 흙을 부드럽게 해줘야 식물이 잘 자란다고 하여, 땅을 두 삽만큼 파서 비료가 되라고 음식물 쓰레기들을 묻고 다시 덮어주었다. 한층 폭신해져 진흙 같아진 땅에 구근 몇 가지를 사서 군데군데 심었다. 겨울을 나고 봄에 예쁘게 피어날 노란 수선화, 보라색 붓꽃, 분홍 작약, 오색의 튤립도 심었다. 식물들도 이불을 덮어주어야 한다고 해서 낙엽을 주워와 덮어주었다. 청소부 아주머니가 가을에 가로수 낙엽을 모아서 대형 비닐에 담아 길에 그냥 두신다. 그 비닐을 어깨에 지고 왔는데, 허리가 아플 정도로 크고 무거웠다. 먼지를 잔뜩 일으키며 화단에 부어주고

군데군데 담배꽁초 쓰레기를 주워냈다. 식물들이 건강하게 겨울을 날 수 있도록 수고해 보았다. 겨울이 한창인 지금 나무들은 겨울눈을 달고 있고, 봄꽃들은 뾰족뾰족 초록 새싹을 내밀었다. 자연을 좋아하는 나는 마당의 겨울을 준비했고, 집을 잘 관리하는 남편은 그 외의 모든 일을 다 했다.

봄꽃 새싹과 수국 겨울눈

주택의 주차

아파트 살 적 나의 주 관심사는 지하 주차장에 자리가 있을까 없을까 였다. 일찍 퇴근하는 편인 나는 그래도 넉넉한 주차 자리에서 편안한 주차를 할 수 있었다. 아주 가끔 늦게 집에 들어왔을 때는 지하 주차장에 자리가 없었고, 아파트 구석이나 도로 한 쪽에 차를 불편한 마음으로 주차를 했다. 차를 바깥에 주차하면 날씨 때문에 불편했다. 그래서 주택으로 이사를 가면 어떻게 밖에 차를 두어야 할지 걱정이 먼저 앞서는 것은 사실이었다. 지하 주차장이란, 어두컴컴하고 개성없는 모습을 하고 있지만 여름이고 겨울이고 일정한 환경과 온도를 유지하고 있어 차를 가진 사람에겐 참 편리한 시설이었다. 그래서 아파트 살 적에는 시동을 걸어 밖으로 나서는 것이 번거롭지 않아 차를 많이 타고 다녔다. 집에서 나와 엘리베이터를 타고 지하 주차장으로 내려가 차에 시동을 걸고 내가 가고자 하는 공간으로 이동하면, 마치 실내에서 실내로 순간이동을 한 것만 같았다. 겨울에도 적당히 입을 수 있었던 여유가 이 지하 주차장에서 나왔다.

날씨 걱정이 없는 지하 주차장

우리가 주택을 설계할 때 세대 분리를 목표로 했다. 공간적 여유가 많지 않았기 때문에 방만으로 채워 넣기도 빠듯했고, 실내 차고는 면적때문에 고려 대상이 아니었다. 아마 우리나라 주택에서 실내 차고까지 있는 집은 흔치 않을 것이다. 하지만 주차장은 설계 및 준공 허가의 의무이기 때문에 마당에 주차선과 주차 공간이 지정되어 있다. 그리고 이사를 하고 이제 자연스레 차를 바깥에 주차하게 되었다. 하지만 차를 바깥에 주차하니, 차를 열면 여름의 열기와 겨울의 한기를 극적으로 느낄 수 있었다. 뜨겁든 차갑든 차는 굴러가지만, 그 안에 타고 가는 사람은 참 힘들었다. 여름에는 햇볕 반사개 생각이 간절해진다. 차 안에 있는 물건이 녹거나 상하기 때문에 물건을 함부로 놓고 내려서도 안 된다. 하지만 여름은 에어컨에 의지해 차를 탈 수 있기에 그나마 낫다.

겨울이 오면 아침이 꽤나 복잡해진다. 눈이 오면 눈을 털어줘야 하고, 12월 중순쯤 되면 서리가 강하게 끼는 데, 차를 타려면 앞, 옆, 뒤 유리까지 싹 긁어내야 비로소 시야가 확보 된다. 출근하다 사고를 내면 안되기 때문에 바쁘다고 대충 긁으면 안된다. 바쁜 아침의 20분을 잡아먹는 일과가 생기는 것이다. 그렇게 긁어 내고도 내부와 외부 온도 차 때문에 안을 따뜻하게 하고 가지도 못한다. 직장이 걸어갈 거리에 있지만 차를 애용했는데, 차를 타기 위해 준비해야하는 과정의 번거로움 때문에 겨울에는 걸어 다니고 차를 잘 안타게 된다. 아이러니하게도 두 다리가 최고의 이동 수단이 되었다.

마음으로 보이는 주차선

추가로 주택의 주차에는 이웃 간의 배려가 필수였다. 우리 마을은 일방향 도로를 따라 근처 이웃들의 차 5대가 평행주차를 하는 형태였다. 처음에 이사를 와서는 주차선도 없고, 주차의 황금 자리를 몰라서 임의로 주차 자리를 잡다가 이웃의 이야기를 듣고 자리를 잡아 주차를 하게 되었다. 내 차만 생각하는 게 아니라 이웃의 차와 지나가는 차까지 모두 배려해야 하는 작업이었다. 자연스레 근처에 주차하는 차가 누구의 차인지 알게 되고, 주차를 할 수 있는 영역도 알게 되었다. 주차는 이웃 간의 소통에 첫 번째 관문이기에 슬기롭게 넘어야 했다.

주택에서 살고 있다

마치며

어느덧 주택으로 이사 온 지 2년을 꽉 채웠다. 봄, 여름, 가을, 겨울을 두 번 돌았다. 이사를 준비하는 시간은 참 느리게 갔던 것 같은데, 첫해는 이사를 통한 송두리째 변한 것들과 거기에 적응하느라 시간이 갔고, 둘째 해부터는 반복되는 계절과 생활에 대한 감이 약간은 생겨나는 과정에 있다. 새로운 것 투성이었던 첫해의 실패와 반복을 통해 일 년의 루틴이 점점 익숙해지고 3년 차를 준비해 봄직해졌다. 봄이 오면 올해 정원에 꽃을 어떻게 늘리고 변화를 줄지 텃밭에는 뭘 심어서 어떻게 키울지 생각하고 준비하고 있다. 우리 집도 2년의 시간이 흘러서인지 약간의 잔고장이 보이기도 한다. 집이 커졌기에 청소할 구역도 넓어졌다. 주택에 태양광이나 차광막이 추가되는 등 작은 공사도 있었다. 정원의 나무와 꽃들, 텃밭의 작물들도 해마다 달랐다.

이런 과정에서 주택 살이를 시작하는 설렘과 변화의 새로움을 담아 인터넷 사이트에 글을 남기게 되었다. 좋아요를 눌러주는 사람들이 있어서 신기했다. 가끔 포털 메인에 올라갔을 때는 부족한 글임에도 꽤 많은 사람이 읽었다. 아름다운 사진으로 시선을 끌고 주택 살이에 대한 궁금함으로 많은 사람이 읽는다는 것을 알 수 있었다. 나도 주택으로 이사를 오기 전에는 감당해야 할 일들이나 시어머니와 함께 사는 것에 대해서 감이 잡히지 않았고, 두려움이 컸다. 하지만 여기까지 순조롭게 오게 된 것이 감사했다.

그렇게 주택으로 이사를 왔음에도 불구하고 2년간 못 살겠으니 이사 가자는 마음이 전혀 안 들었다. 오히려 내 몸에 맞는 옷처럼 주택 살이가 재미있고 만족스러웠다. 이는 지난 2년간 현실적인 벽을 넘었기 때문이라고 생각한다. 주변 가족들과 우리 집을 보면 주택에 살기 위해서는 두 가지 역할이 필요하다. 바로 집 내외의 각종 보수와 문제 해결을 미루지 않고 해낼 수 있는 기술자 역할과 마당의 잡초와 식물들을 관리하는 역할이다. 우리 집에서는 기술자는 남편, 마당 담당은 나와 어머니이다. 미리 이야기하고 온 건 아니지만 자연스럽게 그렇게 되었다. 자기 역할을 좋아하고 알아서 내 일이라고 생각하며 적극적으로 나서서 한다. 이런 역할을 억지로 해야 한다면 주택 살이를 오래 하기는 힘들 것 같다.

이사를 오기 전에는 아파트에 사는 것을 기본으로 생각해서 여행을 가서 독채를 쓰면 그렇게 신기하고 새로운 경험을 하는 것 같았다. 외국에 나갈 때 수많은 사람이 주택에 살고 있는 것을 보면 참 다르다는 생각을 했는데, 이제 주택에 사니 관점이 달라졌다. 아파트의 편리함에 가려져 놓치는 것들에 대해 생각하게 된다. 가족이 집에서 함께할 수 있는 일이 많아지니 집 안팎에서 더 많은 시간을 보내게 된다. 마당을 통해 자연과 계절의 영향을 더 받고, 집 밖에서 살아가는 동물이나 식물에게도 더 관심을 갖게 된다. 주택에 살며 할 일이 많아졌지만, 이상하게도 삶의 여유를 얻었다. 그런 면에서 이사를 정말 잘 온 것 같고, 이 글을 읽는 많은 사람도 주택에서 살아봤으면 좋겠다.

마지막으로 다양한 사람들이 있었기에 이 책이 완성될 수 있었다. 먼저 이 책을 읽는 독자에게 감사의 말을 전한다. 아름다운 집을 지어주고, 항상 가족을 먼저 생각하며, 내 글에 대한 피드백과 사진을 제공해 주는 세상에서 제일 사랑하는 남편에게 감사한다. 남편 덕분에 책 작업이 무사히 완료될 수 있었다. 건강하게 잘 커 주는 착한 아들과 마당을 함께 가꾸는 어머니께도 사랑한다고 전하고 싶다. 이웃들의 배려와 가족의 건강과 행복을 지켜주시는 하느님께 감사한다.